El mensaje de Gálatas

John Stott

Ediciones Certeza Unida
Barcelona, Buenos Aires, La Paz, Lima
2013

Stott, John
   El mensaje de Gálatas. – 1a. ed. – Buenos Aires: Certeza Unida, 2013.
224 páginas; 15x23 cm.

   ISBN 978-950-683-183-7

   1. Nuevo Testamento. 2. Comentarios Bíblicos. 3. Carta a los Gálatas.
   CDD 225

Título original en inglés: *The message of Galatians: Only one way*

Texto Principal © John R. W. Stott 1968

Guía de Estudio © Inter-Varsity Press 1988

Salvo que se mencione otra versión, las citas bíblicas corresponden a la
Nueva Versión Internacional.

Traducción: David Powell
Revisión bíblica: Jorge Olivares
Edición literaria: Adriana Powell
Diseño y diagramación: Ayelen Horwitz y Pablo Ortelli

Ediciones Certeza Unida es la casa editorial de la Comunidad
Internacional de Estudiantes Evangélicos (CIEE) en los países de habla
hispana. La CIEE es un movimiento compuesto por grupos estudiantiles
que buscan cumplir y capacitar a otros para la misión en la universidad y
el mundo. Más información en:

Certeza Argentina, Bernardo de Irigoyen 678, 5° "I" (C1072AAN)
   Ciudad Autónoma de Buenos Aires, Argentina.
   certeza@certezaargentina.com.ar
Ediciones Puma, Av. Arnaldo Márquez 855, Jesús María, Lima, Perú.
   Teléfono / Fax 4232772. puma@cenip.org,
   puma@infonegocio.net.pe
Editorial Lámpara, Calle Almirante Grau N° 464, San Pedro,
   Casilla 8924, La Paz, Bolivia. coorlamp@entelnet.bo
Publicaciones Andamio, Alts Forns 68, Sótano 1, 08038, Barcelona,
   España. editorial@publicacionesandamio.com
   www.publicacionesandamio.com

Índice

Presentación

Este libro forma parte de la serie de exposiciones publicadas en inglés por InterVarsity Press bajo el título *The Bible Speaks Today* (La Biblia habla hoy). Igual que todas las exposiciones de aquella serie, *El Mensaje de Gálatas* se caracteriza por el ideal de exponer el texto bíblico con fidelidad y relacionarlo con la vida contemporánea.

El comentario toma como base el texto bíblico de la *Nueva Versión Internacional*, e incluye la referencia a otras versiones de la Biblia. El propósito del autor es hacer comprensible el mensaje bíblico, a fin de aplicarlo a la realidad contemporánea tanto personal como de la comunidad.

Tenemos la certeza de que Dios aún habla hoy a través de lo que ya ha hablado. Nada es más necesario para la vida, el crecimiento y la salud de las iglesias o de los cristianos, que escuchar y prestar atención a lo que el Espíritu les dice a través de su antigua, pero siempre apropiada Palabra.

Abreviaturas

AV   *English Authorized Version, King James, 1611.*

BA   *La Biblia de las Américas,* Fundación Bíblica Lockman, 1986.

BL   *Biblia Latinoamericana,* Editorial San Pablo y Verbo Divino, 1995.

BNP   *La Biblia de Nuestro Pueblo,* Ediciones Mensajero, 2006.

DHH   *Dios Habla Hoy,* Sociedades Bíblicas Unidas, 1994.

JBP   *The New Testament in Modern English (El Nuevo Testamento en inglés moderno),* J. B. Phillips, 1947-58.

LP   *Biblia La Palabra,* Sociedad Bíblica Española, 2010.

LXX   *Septuaginta (versión griega precristiana del Antiguo Testamento).*

NBLH   *Nueva Biblia latinoamericana de hoy,* Fundación Bíblica Lockman, 2005.

NEB   *New English Bible: New Testament, 1961.*

NTV   *Santa Biblia Nueva Traducción Viviente,* Tyndale House Foundation.

NVI   *Nueva Versión Internacional,* Sociedad Bíblica Internacional, 1999.

PDT   *Palabra de Dios para todos,* Centro Mundial de Traducción de la Biblia, 2008.

RVC   *Santa Biblia Reina Valera Contemporánea,* Sociedades Bíblicas Unidas, 2011.

TLA   *Traducción en Lenguaje Actual,* Sociedades Bíblicas Unidas.

1

La autoridad y el evangelio del apóstol Pablo
Gálatas 1.1–5

> [1.1]Pablo, apóstol, no por investidura ni mediación humanas, sino por Jesucristo y por Dios Padre, que lo levantó de entre los muertos; [2]y todos los hermanos que están conmigo, a las iglesias de Galacia: [3]Que Dios nuestro Padre y el Señor Jesucristo les concedan gracia y paz. [4]Jesucristo dio su vida por nuestros pecados para rescatarnos de este mundo malvado, según la voluntad de nuestro Dios y Padre, [5]a quien sea la gloria por los siglos de los siglos. Amén.

A lo largo de los aproximadamente treinta años que transcurrieron entre su conversión a las afueras de Damasco y su encarcelamiento en Roma, el apóstol Pablo viajó extensamente por el Imperio romano como embajador de Jesucristo. En sus famosos tres viajes misioneros predicó el evangelio y estableció iglesias en las provincias de Galacia, Asia, Macedonia (al norte de Grecia) y Acaya (al sur de Grecia). Además, sus visitas fueron seguidas por cartas, mediante las cuales colaboró en la supervisión de las iglesias que había fundado.

Una de esas cartas, que se cree fue la primera que escribió (alrededor del 48 o 49 d.C.), es la epístola a los Gálatas. Está dirigida **a las iglesias de Galacia** (v. 2). Hay cierto desacuerdo entre los eruditos respecto a qué comprende 'Galacia', y para esos detalles debo remitirlos a los comentarios. Por mi parte, yo creo que se refiere a la región sur de la provincia, y en particular a las cuatro ciudades de Antioquía de Pisidia, Iconio, Listra y Derbe, a las que Pablo evangelizó durante su primer viaje misionero. Se puede leer sobre esto en Hechos 13 y 14.

En cada ciudad ahora había una iglesia. Se reconoce en el Nuevo Testamento que lo que se menciona como 'la Iglesia de Dios' (Gálatas 1.13), la Iglesia global, se divide en 'iglesias' locales. Está claro que no en denominaciones, sino en congregaciones. La Biblia Peshitta traduce la frase en el versículo 2 de la siguiente manera: 'A las congregaciones que se encuentran en Galacia'. Más tarde esas iglesias se agruparon por consideraciones geográficas y políticas. Tal grupo de iglesias se podría describir tanto en plural (por ej. 'las iglesias de Galacia', 'las iglesias . . . en Judea', Gálatas 1.2 y 22) como por un nombre colectivo singular (por ej. 'Acaya', 2 Corintios 9.2). Este uso parece proveer cierta justificación bíblica para el concepto de iglesia regional, la federación de iglesias locales en un área particular.

Ya en el primer párrafo de esta carta a los Gálatas, Pablo alude brevemente a dos temas a los que retornará constantemente: su apostolado y su evangelio. En el mundo antiguo todas las cartas se iniciaban con el nombre del autor, seguido del nombre del receptor y un saludo o mensaje. Pero, en la epístola a los Gálatas, Pablo se extiende más de lo que era habitual en aquellos días y más de lo que lo hace en otras epístolas, tanto en sus credenciales como autor como en la autoridad de su mensaje. Tiene buenos motivos para hacerlo.

Desde su visita a esas ciudades de Galacia, las iglesias que había fundado venían siendo perturbadas por falsos maestros. Esos hombres habían montado un poderoso ataque contra la autoridad y el evangelio de Pablo. Contradecían su evangelio de la justificación por gracia por medio de la sola fe, insistiendo en que para la salvación hacía falta algo más que la fe en Cristo. Además —decían— había que ser circuncidado, y cumplir con toda la ley de Moisés (ver Hechos 15.1, 5). Habiendo socavado el evangelio de Pablo, procedieron a socavar también su autoridad. 'Después de todo, ¿quién es este sujeto Pablo?', decían con desdén. 'Con seguridad no fue uno de los doce apóstoles de Jesús. Y hasta donde nosotros sepamos, tampoco ha recibido autorización de nadie. No es más que un impostor autoproclamado'.

Pablo percibe claramente el peligro de este doble ataque y por eso se lanza, al comienzo mismo de la epístola, a una afirmación de su autoridad apostólica y de su evangelio de la gracia. Más adelante en la carta elaborará esos temas, pero observemos cómo comienza: **Pablo, apóstol** (es decir, no un impostor) . . . Que Dios nuestro Padre y el Señor Jesucristo **les concedan gracia**. Dada la situación, estos dos términos, 'apóstol' y 'gracia' eran palabras cargadas, y si comprendemos su significado, habremos captado los dos temas principales de la Epístola a los Gálatas.

1. La autoridad de Pablo | 1–2

[1]Pablo, apóstol, no por investidura ni mediación humanas, sino por Jesucristo y por Dios Padre, que lo levantó de entre los muertos; [2]y todos los hermanos que están conmigo, a las iglesias de Galacia:

Pablo reclama para sí precisamente el mismo título que los falsos maestros evidentemente le estaban negando. Era un apóstol, y un apóstol de Jesucristo. El término ya tenía una connotación precisa. 'Para los judíos, la palabra estaba bien definida; significaba un mensajero especial, con una condición especial, que disfrutaba de una autoridad y una comisión que provenía de una entidad superior a sí mismo.'[1]

Este es el título que Jesús usó para sus representantes o delegados especiales. De entre la amplia compañía de discípulos, él escogió doce, los llamó 'apóstoles', y los envió a predicar (Lucas 6.13; Marcos 3.14). Es decir, fueron personalmente elegidos, llamados y comisionados por Jesucristo, y autorizados a enseñar en su nombre. La evidencia del Nuevo Testamento es clara en cuanto a que este grupo era pequeño y único. La palabra 'apóstol' no era un término general que pudiera aplicarse a cualquier cristiano, como las palabras 'creyente', 'santo' o 'hermano'. Era un término especial reservado para los Doce y para uno o dos más a quienes el Cristo resucitado designó personalmente. En consecuencia, no puede haber otra sucesión apostólica que la lealtad a la doctrina apostólica del Nuevo Testamento. Los apóstoles no tuvieron sucesores. Dada la naturaleza del caso, nadie podía sucederlos. Eran únicos.

Pablo afirmaba pertenecer a esa selecta compañía de apóstoles. Deberíamos acostumbrarnos a llamarlo 'apóstol Pablo' en lugar de 'san Pablo', porque todo cristiano es un santo en el lenguaje del Nuevo Testamento, mientras que hoy en día ningún cristiano es un apóstol. Observemos con qué nitidez se distingue a sí mismo de los demás cristianos que lo acompañaban al momento de escribir. Los llama, en el versículo 2, **todos los hermanos que están conmigo.** Se alegra de poder asociarlos con él en el saludo, pero sin ningún reparo se pone a sí mismo primero y se da un título que no les da a ellos. Son todos 'hermanos'; solo él, entre todos, es un 'apóstol'.

No nos deja ninguna duda sobre la naturaleza de su apostolado. En otras epístolas se complace en describirse como 'llamado a ser apóstol' (Romanos 1.1) o "apóstol de Cristo Jesús por la voluntad (o el 'mandato') de Dios" (ver 2 Corintios 1.1; Efesios 1.1; Colosenses 1.1; 1 Timoteo 1.1; 2 Timoteo 1.1). No obstante, al comienzo de la carta a los Gálatas se extiende en la descripción de sí mismo. Hace una enérgica afirmación de que su apostolado no es humano en ningún sentido, sino esencialmente divino. Lo que Pablo dice en el griego, literalmente, es que él es apóstol 'no de hombres ni por hombre'. Es decir, no fue designado por un grupo de hombres (por ejemplo los Doce, la iglesia de Jerusalén, o la iglesia de Antioquía), o como era el caso de los apóstoles designados por el sanedrín judío, delegados oficiales comisionados para viajar y enseñar en su nombre. Él mismo (como Saulo de Tarso) había sido uno de ellos, como se ve claramente en Hechos 9.1–2. Pero no había sido designado para el apostolado cristiano por ningún grupo de hombres. Ni siquiera, dado el origen divino de su designación apostólica, le fue comunicada por medio de ningún mediador humano en particular, como Ananías, o Bernabé o cualquier otro. Pablo insiste en que los seres humanos no tienen absolutamente nada que ver con su designación. Su comisión apostólica no era directa ni indirectamente humana; era totalmente divina.

Era, en sus propias palabras, **por Jesucristo y por Dios Padre, que lo levantó de entre los muertos.** Se usa la misma preposición: '*por* Jesucristo y *por* Dios Padre'. Pero el contraste con la expresión 'no de hombres' y 'ni por hombre' que observamos en el griego indica que la designación apostólica de Pablo no fue de hombres sino de Dios Padre, ni por intermedio de hombres sino por medio de Jesucristo (de donde se infiere, por cierto, que Jesucristo no es solamente hombre). Sabemos por otros medios que es así. Dios el Padre escogió a Pablo para ser apóstol (su llamado fue 'conforme a la voluntad de Dios') y lo designó para ello por medio de Jesucristo, a quien había levantado de entre los muertos. Fue el Señor resucitado quien lo comisionó en el camino a Damasco, y Pablo se refiere varias veces a esta visión del Cristo resucitado como una condición esencial de su apostolado (ver 1 Corintios 9.1; 15.8–9).

¿Por qué motivo afirmaba y defendía Pablo de ese modo su apostolado? ¿Era simplemente jactancioso, hinchado de vanidad personal? No. ¿Era solo resentimiento porque los hombres habían osado desafiar su autoridad? No. Era porque estaba en juego el evangelio que él predicaba. Si Pablo no era un apóstol de Jesucristo, entonces los hombres podían, y sin duda lo harían, rechazar su evangelio. Eso era algo que no podía permitir. Porque lo que él declaraba era el mensaje de Cristo con la autoridad de Cristo. De manera que defendía su autoridad apostólica con el fin de defender su mensaje.

Esta autoridad divina y especial del apóstol Pablo es suficiente por sí misma para desacreditar y desechar ciertas visiones modernas del Nuevo Testamento. Quisiera mencionar dos.

a. El punto de vista radical

El punto de vista de los teólogos radicales modernos se puede expresar como sigue: los apóstoles fueron simplemente testigos de Jesucristo del primer siglo. Por otra parte, nosotros somos testigos del siglo xx, y nuestro testimonio es tan bueno como el de ellos, si no mejor. De manera que leen en las cartas de Pablo pasajes que no les gustan y dicen: 'Bueno, esa era la visión de Pablo. Mi punto de vista es diferente'. Hablan como si fueran apóstoles de Jesucristo y como si tuvieran la misma autoridad que Pablo para enseñar y decidir lo que es verdadero y correcto. Pongo un ejemplo tomado de un radical contemporáneo:

> San Pablo y san Juan fueron hombres con las mismas pasiones que nosotros', escribe. 'Por grande que fuera su inspiración, ... al ser humanos, su inspiración no fue pareja ni uniforme. ... Porque junto con su inspiración estaba ese grado de psicopatología que comparten todos los hombres. También ellos tenían profundos intereses personales de los que no eran conscientes. En consecuencia, lo que nos dicen debe tener una cualidad autovalidatoria, como la música. Si no la tiene, debemos estar preparados para rechazarlo. Debemos tener el coraje para estar en desacuerdo.[2]

Observemos que se nos alienta a estar en desacuerdo sobre bases puramente subjetivas. A optar por nuestro propio gusto en lugar de la autoridad de los apóstoles de Cristo.

El profesor C. H. Dodd, quien, no obstante haber hecho un gran aporte al movimiento de teología bíblica, escribe en la 'Introducción' a su comentario de la epístola a los Romanos: 'A veces pienso que Pablo se equivoca, y me he aventurado a afirmarlo'.[3] Pero no tenemos la libertad para pensar o aventurar eso. Los apóstoles de Jesucristo fueron únicos (únicos en su visión del Jesús resucitado, únicos en su comisión por la autoridad de Cristo, y únicos en su inspiración por el Espíritu de Cristo). No debemos exaltar nuestras opiniones por sobre las de ellos, o afirmar que nuestra autoridad equivale a la de ellos. Porque sus opiniones y su autoridad son las de Cristo. Si nos inclinamos ante la autoridad del Hijo de Dios, debemos inclinarnos ante la de ellos. Como Cristo mismo dijo: 'Quien los recibe a ustedes, me recibe a mí' (Mateo 10.40; Juan 13.20).

b. La visión católico romana

Los católicos romanos enseñan que, como los escritores de la Biblia eran hombres de Iglesia, la Iglesia escribió la Biblia. En consecuencia, ella está por encima de la Biblia y tiene la autoridad no solamente para interpretarla, sino también para suplementarla. Pero es erróneo decir que la Iglesia escribió la Biblia. Los apóstoles, autores del Nuevo Testamento, eran apóstoles de Cristo, no de la Iglesia. Pablo no comenzó esta epístola diciendo: 'Pablo, apóstol de la Iglesia, comisionado por ella para escribir a los gálatas'. Él se asegura de señalar que esa comisión y ese mensaje venían de Dios; no venían de ningún hombre o grupo de hombres, tales como la Iglesia. Ver también los versículos 11 y 12.

De modo que la visión bíblica es que los apóstoles recibían su autoridad de Dios por medio de Cristo. La autoridad apostólica es autoridad divina. No es humana ni eclesiástica. Y porque es divina, debemos someternos a ella.

Pasamos ahora de las credenciales de Pablo como autor a considerar su propósito al escribir; en otras palabras, de su autoridad a su evangelio.

2. El evangelio de Pablo | 3–4

Que Dios nuestro Padre y el Señor Jesucristo les concedan gracia y paz. Pablo envía a los gálatas un mensaje de gracia y paz, como en todas sus cartas. Pero esos no son términos formales ni carentes de significado. Aunque 'gracia' y 'paz' son palabras comunes, están cargadas de contenido teológico. De hecho, resumen el evangelio de la salvación según este apóstol. La naturaleza de la salvación es la paz o reconciliación: paz con Dios, paz con los hombres, paz interior. La fuente de la salvación es la gracia, el libre favor del Señor con independencia de cualquier mérito u obra humana, su bondadoso amor por quienes no lo merecemos. Y esta gracia y esta paz fluyen a la vez del Padre y del Hijo.

Pablo pasa inmediatamente al gran hecho histórico en el que se manifestó la gracia de Dios y del que deriva su paz, es decir la muerte de Jesucristo en la cruz. Versículo 4: **Jesucristo dio su vida por nuestros pecados para rescatarnos de este mundo malvado, según la voluntad de nuestro Dios y Padre.** Aunque Pablo había declarado que Dios el Padre resucitó a Cristo de entre los muertos (v. 1), ahora escribe que Cristo puede salvarnos gracias a que se entregó a sí mismo para morir en la cruz. Consideremos la rica enseñanza que aquí se nos ofrece acerca de su muerte.

a. Cristo murió por nuestros pecados

El carácter de su muerte está señalado en la expresión **dio su vida por nuestros pecados.** La muerte de Jesucristo no fue primeramente una demostración de amor, ni un modelo de heroísmo, sino un sacrificio por el pecado (como traduce NEB: '... se sacrificó a sí mismo por nuestros pecados'). En efecto, el uso, en algunos de los mejores manuscritos, de la preposición *peri* en la frase 'por nuestros pecados' puede ser un eco de la expresión del Antiguo Testamento en referencia a la ofrenda por el pecado.[4] El Nuevo Testamento enseña que la muerte de Cristo fue una ofrenda por el pecado, el sacrificio único por el que nuestros pecados pueden ser perdonados y dejados a un lado. Esta gran verdad no se explica aquí, pero más adelante (en 3.13) se nos dice que en realidad Jesús se convirtió en 'maldición por nosotros'. Llevó en su persona justa la maldición o el juicio que merecían nuestros pecados.

Martín Lutero comenta que 'esas palabras son como truenos del cielo contra todo tipo de justificación',[5] es decir, contra todo tipo de autojustificación. Una vez que hemos visto que Cristo 'se dio a sí mismo por nuestros pecados', comprendemos que somos pecadores incapaces de salvarnos a nosotros mismos, y renunciamos a confiar en nuestra propia rectitud.

b. Cristo murió para librarnos de este presente siglo

Si la naturaleza de la muerte de Cristo en la cruz fue 'por nuestros pecados', su objetivo fue 'rescatarnos de esta época de maldad' (v. 4, PDT). El obispo J. B. Lightfoot escribe que ese verbo ('rescatar', 'librar') es la nota dominante de la epístola. 'El evangelio es un rescate', agrega, 'la emancipación de un estado de esclavitud'.[6]

El cristianismo es, en efecto, una religión de rescate. El término griego de este versículo es muy fuerte (*exaireō*, en la voz media). Se usa en Hechos para el rescate de los israelitas de la esclavitud en Egipto (7.34), para el rescate de Pedro tanto de la prisión como de la mano del rey Herodes (12.11) y para el de Pablo de una turba enfurecida a punto de lincharlo (23.27). Este pasaje en Gálatas es el único lugar donde se lo usa metafóricamente para salvación. Cristo murió para rescatarnos.

¿De qué nos rescata Cristo por medio de su muerte? No de este presente *mundo* malvado, como traduce NVI. Porque el propósito de Dios no es sacarnos del mundo, sino que permanezcamos en él y seamos tanto 'la luz del mundo' como 'la sal de la tierra'. Cristo murió para rescatarnos del 'presente *siglo* malo' (RVC), o, como tal vez debería traducirse, del 'presente siglo del malvado', ya que él (el diablo) es su señor. Permítaseme explicar esto. La Biblia divide la historia en dos períodos: 'este siglo' y 'el siglo venidero'. No obstante, nos dice que 'el siglo venidero' ya ha venido, porque Cristo lo ha inaugurado, aunque el presente siglo todavía no ha pasado definitivamente. De manera que los dos períodos están transcurriendo en forma paralela. Se superponen. La conversión cristiana implica ser rescatado del siglo antiguo y transferido al siglo nuevo, 'el siglo venidero'. Y la vida cristiana consiste en vivir en este siglo la vida del siglo venidero.

En consecuencia, el propósito de la muerte de Cristo no fue solamente traernos el perdón, sino que, siendo perdonados, debemos vivir una nueva vida, la vida del siglo venidero. Cristo "se dio a sí mismo por nuestros pecados para librarnos del presente siglo malo" (RVC).

c. Cristo murió conforme a la voluntad de Dios

Habiendo considerado la naturaleza y el objeto de la muerte de Cristo, pasamos a su fuente u origen. Sucedió **según la voluntad de nuestro Dios y Padre**. Tanto nuestro rescate de este presente siglo malo como el medio por el que se llevó a cabo fueron según la voluntad de Dios. Ciertamente no fueron según *nuestra* voluntad, como si hubiéramos logrado nuestro propio rescate. Tampoco fueron simplemente según la voluntad de *Cristo*, como si el Padre hubiera sido reacio a actuar. En la cruz la voluntad del Padre y la voluntad del Hijo estuvieron en perfecta armonía. Jamás debemos suponer que el Hijo se ofreció a hacer algo contra la voluntad del Padre, ni que el Padre requirió del Hijo que hiciera algo en contra de su propia voluntad. Pablo escribe que el Hijo 'dio su vida' (v. 4a) y que su sacrificio fue 'según a la voluntad de nuestro Dios y Padre' (v. 4b).

En resumen, este pasaje enseña que la naturaleza de la muerte de Cristo es un sacrificio por el pecado, su objetivo es nuestro rescate de este presente siglo malo, y su origen la misericordiosa voluntad del Padre y del Hijo.

Conclusión

Lo que el apóstol ha hecho, en estos versículos introductorios de la epístola, es examinar tres momentos de acción divina para la salvación del hombre. El Momento 1 es la muerte de Cristo por nuestros pecados para rescatarnos de este presente siglo malo. El Momento 2 es la designación de Pablo como apóstol para ser testigo del Cristo que murió y resucitó. El Momento 3 es el regalo, para quienes creemos, de la gracia y la paz que Cristo ganó y del que Pablo dio testimonio.

En cada uno de estos momentos el Padre y el Hijo han actuado o continúan actuando juntos. La muerte de Cristo que llevó nuestro pecado fue un acto de sacrificio de sí mismo conforme a la voluntad de Dios el Padre. La autoridad apostólica de Pablo fue 'por Jesucristo y por Dios Padre, que lo levantó de entre los muertos'. Y la gracia y la paz que disfrutamos como resultado también son de 'Dios nuestro Padre y el Señor Jesucristo'. ¡Qué bello es esto! Aquí está nuestro

Dios, el Dios viviente, el Padre y el Hijo, obrando por gracia para nuestra salvación. Jesús primero la logró en la historia por medio de la cruz. Luego la anunció en las Escrituras por medio de sus apóstoles elegidos. Tercero, la ofrece en la experiencia de la salvación a los creyentes hoy. Cada momento es indispensable. No podría haber experiencia cristiana hoy sin la obra única de Cristo en la cruz, de la que los apóstoles fueron testigos excepcionales. El cristianismo es una religión histórica y experimental. De hecho, una de sus mayores glorias es esta unión entre historia y experiencia, entre el pasado y el presente. Jamás deberíamos intentar separarlos. No podemos prescindir de nada de la obra de Cristo, y tampoco del testimonio de sus apóstoles, si queremos disfrutar hoy de la gracia y la paz de Cristo.

No es de extrañar que Pablo terminara el primer párrafo con una doxología: **a quien sea la gloria** (la gloria que le corresponde a Dios, la gloria que le pertenece), **por los siglos de los siglos. Amén.**

2

Falsos maestros y gálatas infieles
Gálatas 1.6–10

[1.6]Me asombra que tan pronto estén dejando ustedes
a quien los llamó por la gracia de Cristo, para pasarse
a otro evangelio. [7]No es que haya otro evangelio, sino
que ciertos individuos están sembrando confusión
entre ustedes y quieren tergiversar el evangelio de
Cristo. [8]Pero aun si alguno de nosotros o un ángel
del cielo les predicara un evangelio distinto del que
les hemos predicado, ¡que caiga bajo maldición!
[9]Como ya lo hemos dicho, ahora lo repito: si alguien
les anda predicando un evangelio distinto del que
recibieron, ¡que caiga bajo maldición!

[10]¿Qué busco con esto: ganarme la aprobación humana
o la de Dios? ¿Piensan que procuro agradar a los demás?
Si yo buscara agradar a otros, no sería siervo de Cristo.

Después de saludar a sus lectores, en todas sus otras epístolas Pablo
continúa orando o alabando y agradeciendo a Dios por ellos. Solo la
epístola a los Gálatas carece de oraciones, alabanzas, agradecimiento
o elogios. En lugar de ello se aboca en forma directa a su tema con
una nota de extrema urgencia. Expresa asombro por la inconstancia
y la inestabilidad de los gálatas. Sigue luego quejándose de los falsos
maestros que están perturbando a las iglesias gálatas. Y expresa la
más aterradora y grave maldición sobre aquellos que osan cambiar
el evangelio.

1. La infidelidad de los gálatas | 6

**Me asombra que tan pronto estén dejando ustedes a quien los llamó
por la gracia de Cristo.** La traducción 'sean ... removidos' (AV) es

engañosa, porque el verbo debería estar en voz activa y no en voz pasiva (está en la voz media), y el tiempo debería ser presente. El texto griego no significa 'sean tan pronto removidos', sino 'tan rápido están abandonando', o, como lo expresa NTV 'estén apartándose tan pronto'. La palabra griega (*metatithēmi*) es muy interesante. Significa 'transferir la propia lealtad'. Se la utiliza para los soldados del ejército que se amotinan o desertan y para las personas que cambian de bando político o de postura filosófica. Por eso, a un tal Dionisio de Heraclea, que abandonó a los estoicos para hacerse miembro de la escuela filosófica rival (los epicúreos) se lo llamó *ho metathemenos*, un 'renegado'.[1]

Es de esto que Pablo acusa a los gálatas. Son renegados religiosos, desertores espirituales. Están abandonando a Aquel que los había llamado por la gracia de Cristo, y abrazando otro evangelio. El verdadero evangelio es, en esencia, lo que el apóstol llamó en Hechos 20.24 'el evangelio de la gracia de Dios'. Consiste en las buenas nuevas de un Dios que es misericordioso con los indignos pecadores. Por gracia entregó a su Hijo a la muerte por nosotros. Por gracia nos invita a volvernos a él. Por gracia nos justifica cuando creemos. 'Todo esto proviene de Dios', como escribió Pablo en 2 Corintios 5.18, queriendo significar que 'todo es por gracia'. Nada es el resultado de nuestros esfuerzos, méritos u obras; en cuanto a la salvación, todo depende de la gracia del Señor.

Pero los gálatas conversos, que habían recibido este evangelio de la gracia, ahora se estaban volviendo a otro, un evangelio de obras. Evidentemente, los falsos maestros eran 'judaizantes' cuyo 'evangelio' se resume en Hechos 15.1: 'A menos que ustedes se circunciden, conforme a la tradición de Moisés, no pueden ser salvos'. No negaban la necesidad de creer en Jesús para la salvación, pero afirmaban que también había que ser circuncidado y cumplir con la ley. En otras palabras, había que permitir que Moisés completara lo que Jesús había comenzado. O más bien, uno mismo debía completar lo que Jesús comenzó, por medio de la obediencia a la ley. Había que agregar las propias obras a su obra. Había que concluir la obra incompleta de Cristo.

Pablo sencillamente no toleraba esa doctrina. ¿Cómo? ¿Agregar méritos humanos al mérito de Cristo, y obras humanas a su obra? ¡Dios no lo permita! La obra de Cristo es una obra terminada; y su evangelio es un evangelio de libre gracia. La salvación es solo por la gracia, por medio solo de la fe, sin ningún agregado de obras o méritos humanos. Depende únicamente del misericordioso llamado de Dios, y no de alguna buena obra nuestra.

Pablo va más allá todavía. Dice que la deserción de los conversos gálatas era no solo en cuanto a su experiencia sino también a su teología. No los acusa de abandonar el evangelio de la gracia por otro evangelio, sino de abandonar a *quien* los **llamó** [cursivas añadidas] por su gracia. En otras palabras, teología y experiencia, fe cristiana y vida cristiana van juntas, y no se pueden separar. Apartarse del evangelio de la gracia es apartarse del Dios de gracia. Que los gálatas estén advertidos, ya que tan fácil y arrebatadamente comenzaron a apartarse. Es imposible abandonar el evangelio sin abandonar a Dios. Como lo expresa Pablo más adelante, en Gálatas 5.4, 'han caído de la gracia'.

2. La actividad de los falsos maestros | 7

El motivo por el que los conversos gálatas estaban abandonando al Dios que los había llamado en su gracia era que **ciertos individuos están sembrando confusión entre ustedes** (v. 7b). La palabra griega para 'sembrar confusión' (*tarassō*) significa 'sacudir' o 'agitar'. Las congregaciones gálatas habían sido arrojadas por los falsos maestros a un estado de agitación, de confusión intelectual, por una parte, y de facciones enfrentadas por otra. Es curioso que el Concilio de Jerusalén, que probablemente se reunió justo después de que Pablo escribiera esta epístola, utilizara el mismo verbo griego en su carta a las iglesias: 'Nos hemos enterado de que algunos de los nuestros, sin nuestra autorización, los han *inquietado* (*tarassō*) a ustedes, alarmándoles con lo que les han dicho' (Hechos 15.24).

Este problema fue el resultado de falsas doctrinas. Los judaizantes intentaban **tergiversar** o 'pervertir' (BA), el evangelio. Estaban difundiendo lo que J. B. Phillips llama 'una parodia del evangelio de Cristo'. De hecho, la palabra griega (*metastrepsai*) es todavía más fuerte. Podría traducirse como 'invertir'. En ese caso, no solo estaban corrompiendo el evangelio, sino que en realidad lo estaban 'invirtiendo', volviéndolo de atrás para adelante y de adentro hacia afuera. No se lo puede modificar o agregar sin cambiar radicalmente su carácter.

De manera que las dos principales características de los falsos maestros eran: que estaban perturbando a la Iglesia y cambiando el evangelio. Estas dos cosas van juntas. Falsear el evangelio siempre supone perturbar a la Iglesia. No se puede tocar el evangelio y dejar intacta a la Iglesia, porque ella fue creada por y vive del evangelio. En efecto, los principales perturbadores de la Iglesia (ahora lo mismo que entonces) no son los de afuera que se le oponen, la ridiculizan o la persiguen, sino los de adentro que intentan cambiar el evangelio. Son ellos los que la perturban. A la inversa, la única manera de ser un buen miembro de la Iglesia es ser un buen evangelista. La mejor manera de servirla es creer y predicar el evangelio.

3. La reacción del apóstol Pablo | 8–10

Ya deberíamos tener clara la situación en las iglesias de Galacia. Falsos maestros estaban distorsionando el evangelio, con el resultado de que los conversos de Pablo lo estaban abandonando. La primera reacción del apóstol fue de total asombro. El versículo 6 decía: 'Me asombra que tan pronto estén dejando ustedes a quien los llamó por la gracia de Cristo, para pasarse a otro evangelio.' Muchos evangelistas de generaciones posteriores han sentido el mismo asombro y aflicción al ver la facilidad y la rapidez con que los convertidos aflojan su adhesión al evangelio al que parecían haber abrazado con tanta firmeza. Es, como escribe Pablo en Gálatas 3.1, como si alguien los hubiera hechizado por arte de brujería, y efectivamente es así. El diablo perturba a la Iglesia tanto por medio del mal como por medio del error. Cuando no puede inducir a los cristianos al pecado, los engaña con falsas doctrinas.

La segunda reacción de Pablo fue la indignación hacia esos falsos maestros, sobre los que ahora pronuncia su severa maldición. Versículos 8–9: **Pero aun si alguno de nosotros o un ángel del cielo les predicara un evangelio distinto del que les hemos predicado, ¡que caiga bajo maldición! Como ya lo hemos dicho, ahora lo repito: si alguien les anda predicando un evangelio distinto del que recibieron, ¡que caiga bajo maldición!** La palabra griega traducida dos veces como 'maldición', es *anathema*. Se usaba en el Antiguo Testamento griego para la proscripción divina, esto es, la maldición de Dios sobre cualquier cosa o persona destinada por él a la destrucción. La historia de Acán es un ejemplo de lo que queremos decir. El Señor había dicho que el botín de los cananeos estaba bajo su maldición, es decir, estaba destinado a la destrucción. Pero Acán robó y se guardó lo que debía ser destruido.

De manera que Pablo desea que esos falsos maestros caigan bajo la proscripción divina, maldición o *anathema*. Es decir, expresa el deseo de que el juicio de Dios caiga sobre ellos. Está implícito que entonces las iglesias de Galacia no concederán la bienvenida ni escucharán a esos falsos maestros, sino que se negarán a recibirlos o escucharlos, porque son hombres a quienes el Señor ha rechazado (ver 2 Juan 10–11).

¿Qué diremos de esta *anathema*? ¿La descartaremos como un arrebato desmedido? ¿La rechazaremos como un sentimiento que no condice con el Espíritu de Cristo y es indigno de su evangelio? ¿La desecharemos como la expresión de un hombre influido por la época e incapaz de pensar de otra manera? Mucha gente lo haría, pero por lo menos dos consideraciones indican que esta *anathema* apostólica no fue una descarga de veneno personal contra maestros rivales.

La primera es que la maldición del apóstol (o la maldición de Dios que el apóstol desea) tiene un espectro universal. Cae sobre cualquier y todo maestro que tergiversa la esencia del evangelio y difunde su distorsión. Esto está claro en el versículo 9: **Como ya lo hemos dicho, ahora lo repito: Si *alguien* les anda predicando ...** [cursivas añadidas]. Tan desinteresado es el celo de Pablo por el evangelio, que incluso desea que la maldición del Señor caiga sobre *sí mismo*, si fuera culpable de tergiversarlo. El hecho de que se incluye a sí mismo lo libera del cargo de resentimiento o animosidad personal.

La segunda consideración es que al expresar deliberadamente su maldición es consciente de su responsabilidad ante Dios. Por un lado, la expresa dos veces (vv. 8–9). Como escribe John Brown, el comentarista bíblico escocés del siglo XIX: 'El apóstol lo repite para mostrar a los gálatas que no era una afirmación exagerada ni excesiva, a la que pudiera haberlo inducido la pasión, sino su opinión inalterable elaborada con calma.'[2] Luego Pablo continúa en el versículo 10: **¿Qué busco con esto: ganarme la aprobación humana o la de Dios? ¿Piensan que procuro agradar a los demás? Si yo buscara agradar a otros, no sería siervo de Cristo.** Parece que sus detractores lo acusaban de ser contemporizador, de buscar la aprobación de los hombres, de ajustar su mensaje al gusto de la audiencia. Pero ¿acaso esa franca condena de los falsos maestros es el lenguaje de alguien que busca agradar? Por el contrario, nadie puede servir a dos amos. Y como el apóstol es primero y principalmente un siervo de Jesucristo, su anhelo es agradar a Cristo, no a los hombres. En consecuencia es, como 'siervo de Cristo', responsable ante su divino Señor, que mide sus palabras y se atreve a pronunciar esta grave *anathema*.

Hemos visto, entonces, que Pablo expresó su *anathema* tanto de manera imparcial (no importa quiénes fueran los maestros), como deliberada (ante la presencia de Cristo su Señor).

No obstante, alguno puede preguntar, '¿Por qué se sentía tan afectado y usó un lenguaje tan drástico?'. Hay dos razones muy claras. La primera es que estaba en juego la gloria de Cristo. Hacer que las obras de los hombres sean necesarias para la salvación, incluso como agregado a la obra de Jesús, es despreciar su obra terminada.

Equivale a afirmar que la obra de Cristo fue insatisfactoria en algún sentido, y que los hombres necesitan agregarle algo para mejorarla. En efecto, es declarar redundante la cruz: 'Si la justicia se obtuviera mediante la ley, Cristo habría muerto en vano' (Gálatas 2.21).

La segunda razón por la que Pablo sintió tan agudamente este asunto fue que también estaba en juego el bien del alma de los hombres. No estaba escribiendo acerca de alguna doctrina trivial, sino de algo esencial al evangelio. Tampoco estaba hablando de aquellos que simplemente *tienen* una visión falsa, sino de aquellos que la *enseñan* y engañan a otros con sus enseñanzas. Él estaba hondamente preocupado por el alma de los hombres. En Romanos 9.13 declaró que estaba dispuesto a ser maldito (ser literalmente *anathema*) si por ese medio otros pudieran ser salvos. Sabía que el evangelio de Cristo es poder de Dios para salvación. En consecuencia, corromper el evangelio equivalía a destruir la vía para la salvación y con ello enviar a la perdición las almas que podrían haber sido salvas por medio del evangelio. ¿Acaso Jesús mismo no expresó una grave amenaza contra las personas que provocan el tropiezo de otros, diciendo que 'más le valdría que le ataran al cuello una piedra de molino y lo arrojaran al mar' (Marcos 9.42)? Parece entonces que Pablo, lejos de contradecir el Espíritu de Cristo, en realidad lo estaba expresando. Claro que vivimos en una época en la que se considera de estrechez mental e intolerancia tener opiniones propias claras y firmes; y mucho más estar en desacuerdo con las de cualquier otro. En cuanto a desear que los falsos maestros caigan bajo la maldición de Dios y que sean tratados acorde con eso por la iglesia, la idea misma es inconcebible para muchos. Me atrevo a decir, sin embargo, que si nos preocupara más la gloria de Cristo y el bien del alma de los hombres, no podríamos soportar la corrupción del evangelio de la gracia.

Conclusión

La lección que se destaca de este párrafo es que hay un solo evangelio. La visión popular es que hay muchas maneras diferentes de llegar a Dios, que las buenas nuevas tienen que irse ajustando al paso del tiempo, y que no debemos condenar el evangelio a la fosilización del primer siglo. Pero Pablo no compartiría estas ideas. Insiste aquí en que hay un solo evangelio y que ese evangelio no cambia. Toda enseñanza que afirme ser 'otro evangelio' es falso, porque en realidad 'no es que haya otro' (vv. 6-7). Para destacar este punto, utiliza los dos adjetivos *heteros* ('otro' en el sentido de 'diferente') y *allos* ('otro' en el sentido de 'un segundo'). La Biblia de Las Américas lo traduce así: '. . . para seguir un evangelio diferente; que en realidad no es otro evangelio'. En otras palabras, de seguro se predican diferentes evangelios, pero eso es lo que son: *diferentes*. No hay otro, un segundo; hay uno solo. El mensaje de los falsos maestros no era un evangelio alternativo; era uno tergiversado.

¿Cómo podemos reconocer el verdadero evangelio? Aquí se nos han dado sus marcas. Tienen que ver con su sustancia (en qué consiste) y con su fuente (de dónde viene).

a. La sustancia del evangelio

Es el evangelio de la gracia, del favor libre e inmerecido de Dios por nosotros. Apartarse del Dios que nos llamó por la gracia de Cristo es apartarse del verdadero evangelio. Cada vez que los maestros comienzan a ensalzar al ser humano, insinuando que este puede contribuir de alguna manera a su salvación en función de su propia moralidad, religión, filosofía u honorabilidad, se está corrompiendo el evangelio de la gracia. Esa es la primera prueba. El verdadero evangelio exalta la libre gracia del Señor.

b. La fuente del evangelio

La segunda marca tiene que ver con el origen del evangelio. El verdadero evangelio es el evangelio de los apóstoles de Jesucristo; en otras palabras, el evangelio del Nuevo Testamento. Releamos los versículos 8 y 9. Pablo pronuncia su *anathema* contra cualquiera que predique un evangelio 'distinto del que les hemos predicado' o 'distinto del que recibieron'. Eso significa que la norma, el criterio contra el que se contrastarán todos los sistemas y todas las opiniones es el evangelio primitivo, el que predicaron los apóstoles y que está registrado en el Nuevo Testamento. Cualquier sistema 'distinto', 'contrario' (BA), o 'diferente' (RVC) de este evangelio apostólico debe ser rechazado.

Esta es la segunda prueba fundamental. Todo el que rechaza el evangelio apostólico, no importa quién sea, debe ser él mismo rechazado. Puede parecer 'un ángel del cielo'. En ese caso debemos preferir los apóstoles a los ángeles. No debemos dejarnos deslumbrar, como les ocurre a muchos, por la persona, los dones o el papel de maestros en la iglesia. Pueden presentársenos con suma dignidad, autoridad o erudición. Pueden ser obispos, arzobispos, profesores universitarios e incluso el mismo papa. Pero si traen un evangelio diferente del que predicaron los apóstoles y está registrado en el Nuevo Testamento, deben ser rechazados. Los juzgamos según el evangelio; no juzgamos al evangelio según ellos. Como lo expresa el doctor Alan Cole: 'No es la apariencia del mensajero lo que valida el mensaje; más bien, la naturaleza del mensaje valida al mensajero'.[3]

De manera que al escuchar los diversos puntos de vista, orales, escritos, transmitidos o televisados, de hombres y mujeres en la actualidad, debemos someter cada uno a estas dos pruebas rigurosas. ¿Es su opinión coherente con la libre gracia de Dios y con la clara enseñanza del Nuevo Testamento? Si no lo es, debemos rechazarla, por más digno de admiración que pueda ser su maestro. Pero si pasa estas pruebas, entonces debemos abrazarla y aferrarnos a ella. No debemos comprometer el evangelio como los judaizantes, ni abandonarlo como los gálatas, sino vivir por él y procurar darlo a conocer a otros.

3

Los orígenes del evangelio de Pablo
Gálatas 1.11–24

^{1.11}Quiero que sepan, hermanos, que el evangelio que yo predico no es invención humana. ¹²No lo recibí ni lo aprendí de ningún ser humano, sino que me llegó por revelación de Jesucristo.

¹³Ustedes ya están enterados de mi conducta cuando pertenecía al judaísmo, de la furia con que perseguía a la iglesia de Dios, tratando de destruirla. ¹⁴En la práctica del judaísmo, yo aventajaba a muchos de mis contemporáneos en mi celo exagerado por las tradiciones de mis antepasados. ¹⁵Sin embargo, Dios me había apartado desde el vientre de mi madre y me llamó por su gracia. Cuando él tuvo a bien ¹⁶revelarme a su Hijo para que yo lo predicara entre los gentiles, no consulté con nadie. ¹⁷Tampoco subí a Jerusalén para ver a los que eran apóstoles antes que yo, sino que fui de inmediato a Arabia, de donde luego regresé a Damasco.

¹⁸Después de tres años, subí a Jerusalén para visitar a Pedro, y me quedé con él quince días. ¹⁹No vi a ningún otro de los apóstoles; sólo vi a Jacobo, el hermano del Señor. ²⁰Dios me es testigo que en esto que les escribo no miento. ²¹Más tarde fui a las regiones de Siria y Cilicia. ²²Pero en Judea las iglesias de Cristo no me conocían personalmente. ²³Sólo habían oído decir: 'El que antes nos perseguía ahora predica la fe que

procuraba destruir.' [24]Y por causa mía glorificaban
a Dios.

Hemos visto en Gálatas 1.6–10 que hay un solo evangelio y que este
evangelio es el criterio con el que deben probarse todas las opiniones
humanas. Es el evangelio que Pablo presentaba.

La pregunta ahora es ¿cuál es el *origen* del evangelio de Pablo, por
el que debe ser considerado normativo, y para que otros mensajes y
opiniones deban ser evaluados y juzgados por él? Sin lugar a dudas es
un evangelio maravilloso. Pensemos en la epístola a los Romanos, las
epístolas a los Corintios y esas tremendas epístolas desde la prisión
como Efesios, Filipenses y Colosenses. Nos impresiona su majestuoso
alcance, su profundidad, su coherencia, a medida que el apóstol va
bosquejando el propósito de Dios de eternidad a eternidad. Pero ¿de
dónde sacó Pablo todo eso? ¿Fue el producto de su propio cerebro fér-
til? ¿Lo inventó todo? ¿O se trataba de un material rancio de segunda
mano y sin autoridad original? ¿Lo copió de los otros apóstoles en
Jerusalén, cosa que evidentemente sostenían los judaizantes cuando
trataron de subordinar su autoridad a la de ellos?

La respuesta de Pablo a esas preguntas la encontramos en los versículos 11–12: **Quiero que sepan, hermanos** (la fórmula favorita suya
para introducir una afirmación importante), **que el evangelio que
yo predico no es invención humana. No lo recibí ni lo aprendí de
ningún ser humano, sino que me llegó por revelación de Jesucristo.**
Ahora nos queda clara la razón por la que su evangelio era la norma
con que se debían contrastar los demás. Es que su evangelio no era
(literalmente, v. 11) 'según hombre', no era **invención humana.** 'Yo
lo predico' podría decir Pablo, 'pero no lo inventé yo. Ni lo recibí de
otro hombre, como si fuera una tradición que pasara de generación
en generación. Ni la aprendí, como si me hubiera sido enseñada por
maestros humanos'. Fue 'por revelación de Jesucristo'. Como alternativa, el genitivo podría ser complemento, en cuyo caso Cristo es
el contenido de la revelación, como en el versículo 16. De cualquier
manera que lo tomemos, entendiendo a Jesucristo como autor o bien
como contenido, el sentido general está claro. En el versículo 1 Pablo
afirma el origen divino de su comisión apostólica; ahora afirma el
origen divino de su evangelio apostólico. Ni su comisión ni su mensaje

tuvieron origen humano; ambos le vinieron directamente de Dios y de Jesucristo.

Vemos entonces que la afirmación del apóstol es la siguiente: su evangelio, que estaba siendo cuestionado por los judaizantes y abandonado por los gálatas, no era una invención (como si su propio cerebro lo hubiera elaborado), ni una tradición (como si la iglesia se lo hubiera pasado), sino una revelación (Dios se lo había dado a conocer). Como lo expresa John Brown: 'Jesucristo lo puso bajo su instrucción directa'.[1] Es por eso que Pablo se atreve a llamar al evangelio que predica 'mi evangelio' (Romanos 16.25). No era 'suyo' por haberlo inventado, sino porque le había sido singularmente revelado. Es notable la magnitud de su afirmación. Está diciendo que su mensaje no es su mensaje sino el mensaje de Dios, que su evangelio no es su evangelio sino el de Dios, que sus palabras no son sus palabras sino las de Dios.

Habiendo hecho esta sorprendente afirmación acerca de una revelación directa del Señor sin intervención humana, el apóstol continúa demostrándola desde la historia, es decir, a partir de los hechos de su propia autobiografía. Las situaciones antes, durante y después de su conversión fueron tales que está claro que no recibió su evangelio de ningún hombre, sino directamente de Dios. Analizaremos cada una de estas tres situaciones por separado.

1. Lo que ocurrió antes de su conversión | 13-14

> [13]Ustedes ya están enterados de mi conducta cuando pertenecía al judaísmo, de la furia con que perseguía a la iglesia de Dios, tratando de destruirla. [14]En la práctica del judaísmo, yo aventajaba a muchos de mis contemporáneos en mi celo exagerado por las tradiciones de mis antepasados.

Aquí el apóstol Pablo describe su situación anterior a la conversión como alguien comprometido con la práctica del judaísmo. Cómo era él en aquellos días era bien conocido. **Ustedes ya están enterados de mi conducta**, dice; él mismo se los había narrado. Menciona dos aspectos de sus días de no regenerado: su persecución a la iglesia, la que ahora sabe es la 'iglesia de Dios' (v. 13), y su entusiasmo por la tradición de sus padres (v. 14). En ambas cosas, dice, era fanático.

Veamos la persecución a la Iglesia. Pablo perseguía a la Iglesia de Dios 'desmedidamente' (BA). La frase parece indicar la violencia, incluso el salvajismo con que encaraba su nefasto trabajo. Podemos complementar lo que nos dice aquí con el libro de Hechos. Iba de casa en casa en Jerusalén, aprehendía a cada cristiano que encontraba, hombres o mujeres, y los arrastraba a la cárcel (Hechos 8.3). Cuando estos eran condenados a la muerte él daba su aprobación (Hechos 26.10). No satisfecho con *perseguir* a la Iglesia, en realidad estaba resuelto a *destruirla* (v. 13). Quería hacerla desaparecer.

Era igualmente fanático en su celo por las tradiciones judías. 'En el judaísmo superaba a todos los compatriotas de mi generación en mi celo ferviente por las tradiciones de mis antepasados' escribe (v. 14, BNP). Había sido criado 'de acuerdo con la secta más estricta de nuestra religión' (Hechos 26.5), es decir, como fariseo; y así había vivido.

Esa era la situación de Saulo de Tarso antes de su conversión. Era fanático e intolerante, incondicional en su devoción al judaísmo y en su persecución a Cristo y la iglesia.

Ahora bien, un hombre con esa condición mental y emocional no estaría dispuesto a cambiar de idea, ni a permitir que otros hombres se la cambiaran. Ningún reflejo condicionado ni algún otro método psicológico podrían convertir a un hombre así. Solo Dios podía alcanzarlo, ¡y lo hizo!

2. Lo que ocurrió en su conversión | 15–16a

¹⁵**Sin embargo, Dios me había apartado desde el vientre de mi madre y me llamó por su gracia. Cuando él tuvo a bien ¹⁶revelarme a su Hijo para que yo lo predicara entre los gentiles, ...**

El contraste entre los versículos 13–14, por un lado, y los versículos 15–16 por otro, es dramáticamente agudo. Se lo ve claramente en los sujetos de los verbos. En los versículos 13–14 Pablo habla de sí mismo: '[Yo] perseguía a la iglesia de Dios ... [yo trataba] de destruirla ... yo aventajaba a muchos de mis contemporáneos ... en *mi* celo exagerado por las tradiciones de mis antepasados'. Pero en los versículos 15–16 comienza a hablar de Dios. Fue *Dios*, dice, quien **me había apartado desde el vientre de mi madre**, Dios **me llamó por su gracia**, Dios **tuvo** a bien revelarme a su Hijo. En otras palabras, 'en mi fanatismo estaba empeñado en la persecución y destrucción [de la iglesia], pero Dios (a quien había dejado fuera de mis planes) me detuvo y cambió mi precipitado curso. Todo mi furioso fanatismo no tenía comparación con la buena voluntad de Dios'.

Observemos cómo en cada etapa Pablo destaca la iniciativa y la gracia del Señor. Primero, **Dios me había apartado desde el vientre de mi madre.** Como Jacob, que fue elegido desde antes de nacer con preferencia a su hermano gemelo Esaú (Romanos 9.10–13), y como Jeremías que fue destinado antes de nacer para ser profeta (Jeremías 1.5); también Pablo, antes de nacer, fue destinado para ser apóstol. Si estaba consagrado para ser apóstol antes de nacer, entonces está claro que él no tuvo nada que ver con ese designio.

Segundo, su elección prenatal condujo a su histórico llamado. Dios **me llamó por su gracia**, es decir, por su amor totalmente inmerecido. Pablo estaba luchando contra el Señor, contra Cristo, contra los hombres. No merecía la gracia, ni la había pedido. Pero la gracia lo halló. Y la gracia lo llamó.

Tercero, Dios **tuvo a bien revelarme a su Hijo.** Ya sea que el apóstol se esté refiriendo todavía a su experiencia en el camino a Damasco, o a los días que le siguieron inmediatamente, ahora le fue revelado Jesucristo, el Hijo de Dios. Pablo había estado persiguiendo a Jesucristo, porque pensaba que él era un impostor. Ahora se le abrieron los ojos para ver a Jesús no como un charlatán sino como el Mesías de los judíos, el Hijo de Dios y Salvador del mundo. El apóstol ya conocía algunos de los hechos vinculados a Jesús (no afirma que le fueran revelados sobrenaturalmente, ya sea entonces o después [ver 1 Corintios 11.23]), pero ahora había captado su significado. Fue una revelación de Cristo a los gentiles, porque **tuvo a bien revelarme a su Hijo para que yo predicara entre los gentiles.** Fue una revelación privada a Pablo, pero se trataba de una comunicación pública para los gentiles (ver Hechos 9.15). Y lo que se le encomendó predicar entre ellos no era la ley de Moisés, como estaban enseñando los judaizantes, sino buenas noticias (es el significado de la palabra 'predicar' en el versículo 16), la buena noticia de Cristo. Este Cristo había sido revelado, dice Pablo, 'en mí' (literalmente). Fue un develamiento exterior, porque Pablo afirmaba haber visto al Cristo resucitado (por ejemplo 1 Corintios 9.1; 15.8–9). Pero fue esencialmente una iluminación interior de su alma, Dios resplandeciendo en su corazón 'para que conociéramos la gloria de Dios que resplandece en el rostro de Cristo' (2 Corintios 4.6). Y esta revelación fue tan profunda, se encarnó tanto en él, que pudo hacerla conocer a otros. De aquí que la NEB traduce 'para revelar a su Hijo a mí y por medio de mí'.

La fuerza de estos versículos es convincente. Saulo de Tarso había sido un fanático opositor del evangelio. Pero agradó al Señor convertirlo en predicador del mismo evangelio al que se había opuesto tan mordazmente. Su elección prenatal, su llamado histórico y la revelación de Cristo en él era, todo, obra de Dios. En consecuencia, ni su misión apostólica ni su mensaje venían de los hombres.

No obstante, el argumento del apóstol no está completo. Aun si damos por sentado que su conversión fue obra de Dios, como queda en claro por la forma en que ocurrió y lo que la precedió, ¿acaso no pudo haber recibido instrucciones *después* de su conversión? Y en tal caso, ¿no sería su mensaje, después de todo, de hombres? No. Pablo también niega eso.

3. Lo que ocurrió después de su conversión | 16b–24

[16]… no consulté con nadie. [17]Tampoco subí a Jerusalén para ver a los que eran apóstoles antes que yo, sino que fui de inmediato a Arabia, de donde luego regresé a Damasco.

[18]Después de tres años, subí a Jerusalén para visitar a Pedro, y me quedé con él quince días. [19]No vi a ningún otro de los apóstoles; sólo vi a Jacobo, el hermano del Señor. [20]Dios me es testigo que en esto que les escribo no miento. [21]Más tarde fui a las regiones de Siria y Cilicia. [22]Pero en Judea las iglesias de Cristo no me conocían personalmente. [23]Sólo habían oído decir: 'El que antes nos perseguía ahora predica la fe que procuraba destruir.' [24]Y por causa mía glorificaban a Dios.

En este párrafo un tanto largo la afirmación que se destaca es la primera, al final del versículo 16: **no consulté con nadie**. Sabemos que Ananías se acercó a él, pero evidentemente Pablo no discutió el evangelio con él, ni con ninguno de los apóstoles de Jerusalén. Luego elabora históricamente esa afirmación. Expone tres argumentos para demostrar que no pasó tiempo en aquella ciudad como para que los demás apóstoles pudieran moldear su evangelio.

Primer argumento: Fue a Arabia | 17

Según Hechos 9.20 Pablo pasó un breve tiempo en Damasco predicando, lo que sugiere que ya tenía su evangelio lo suficientemente definido como para anunciarlo. Tuvo que haberse ido poco después a Arabia. El obispo Lightfoot comenta: 'Hay un velo de espesa oscuridad suspendido sobre la visita de Pablo a Arabia'.[2] No sabemos a dónde fue ni por qué fue allí. Posiblemente no era lejos de Damasco, porque en ese tiempo todo el distrito estaba gobernado por el rey Aretas de Arabia. Algunas personas creen que fue a aquella región como misionero para predicar el evangelio. San Crisóstomo describe una 'gente bárbara y salvaje'[3] que vivía allí, a quienes Pablo fue a evangelizar. Pero es mucho más probable que fuera a Arabia en busca de tranquilidad y soledad, porque ese es el punto en los versículos 16–17, **no consulté con nadie. … sino que fui de inmediato a Arabia, de donde luego regresé a Damasco.** Parece haber permanecido allí **tres años** (v. 18). Creemos que en este período de retiro, mientras meditaba en las Escrituras del Antiguo Testamento, en los hechos de la vida y la muerte de Jesús que ya conocía, y en su experiencia de conversión, se le reveló el evangelio de la gracia en toda su plenitud. Se ha sugerido incluso que esos tres años en Arabia fueron una deliberada compensación por los tres años de preparación que Jesús dio a los demás apóstoles, pero que Pabló se perdió. Ahora tenía a Jesús para él solo, por así decirlo, tres años de soledad en el desierto.

Segundo argumento: Más adelante subió a Jerusalén por un tiempo breve | 18–20

Probablemente se trate de la ocasión mencionada en Hechos 9.26, después de haber sido sacado a escondidas de Damasco, descolgado por el muro de la ciudad en una canasta. Pablo se muestra muy abierto acerca de su visita a Jerusalén, pero le resta importancia. Carecía totalmente de la significación que obviamente sugerían los falsos maestros. Se nos muestran varios aspectos de esa ocasión.

Por un lado, ocurrió **después de tres años** (v. 18). Es prácticamente seguro que se refiere a tres años desde su conversión; para entonces su evangelio ya debió estar totalmente formulado.

Por otra parte, cuando llegó a Jerusalén, solamente vio a dos de los apóstoles: Pedro y Jacobo. Fue a **visitar a Pedro**. La palabra griega (*historēsai*) se usaba para expresar una visita de interés, y significa 'visitar con el propósito de conocer a alguien' (Arndt-Gingrich). Lutero comenta que fue a ver a estos apóstoles 'no por mandato sino por propia voluntad, no para aprender algo de ellos sino solamente para conocer a Pedro'.[4] Pablo también vio a Jacobo, que aquí parece estar incluido entre los apóstoles (v. 19). Pero no vio a ninguno de los otros apóstoles. Quizás estaban ausentes, o demasiado ocupados, e incluso temerosos de él (Hechos 9.26).

Por último, estuvo en Jerusalén tan solo **quince días**. Claro que en quince días los apóstoles hubieran tenido tiempo de conversar sobre Cristo. Pero el punto de Pablo es que en dos semanas no hubiera tenido tiempo de asimilar todo el consejo de Dios. Por otra parte, ese no era el motivo de su visita. Sabemos por Hechos (9.28–29) que buena parte de esas dos semanas en Jerusalén las pasó predicando.

Para resumir, la primera visita de Pablo a Jerusalén no fue sino después de tres años, duró apenas dos semanas, y vio solamente a dos apóstoles. En consecuencia, era absurdo sugerir que había obtenido su evangelio de los apóstoles de Jerusalén.

Tercer argumento: Siguió a Siria y Cilicia | 20–24

Esta visita al extremo norte corresponde a Hechos 9.30, donde se nos dice que Pablo, cuya vida ya estaba en peligro, fue llevado por los hermanos a Cesarea, desde donde lo enviaron a Tarso, que está en Cilicia. Como el apóstol dice aquí que fue a **las regiones de Siria** también, probablemente volvió a visitar Damasco y pasó por Antioquía camino de Tarso. Sea como fuere, lo que Pablo quiere destacar es que estaba muy al norte, lejos de Jerusalén.

Como resultado de ello, **en Judea las iglesias de Cristo no me conocían personalmente** (v. 22), escribe. Solo habían oído hablar de él, y el rumor que les llegaba era que su antiguo perseguidor se había convertido en predicador (v. 23). Efectivamente, se había convertido en predicador de la fe que ellos habían aceptado y que anteriormente Pablo perseguía. Al saber esto, dice el apóstol, **por causa mía glori-**

ficaban a Dios. No glorificaban a Pablo, sino a Dios en Pablo, reconociendo que el apóstol era un trofeo en señal de la gracia del Señor.

No fue hasta catorce años después (2.1), probablemente se refiere a catorce años después de su conversión, que Pablo volvió a visitar Jerusalén y a gozar de una consulta más prolongada con los demás apóstoles. Para entonces su evangelio estaba completamente desarrollado. Durante ese período de catorce años entre su conversión y esta consulta, había realizado únicamente una breve e insignificante visita esta ciudad. El resto del tiempo lo había pasado en las lejanas Arabia, Siria y Cilicia. Sus argumentos demostraban la independencia de su evangelio.

Lo que Pablo ha estado diciendo en los versículos 13–24 se puede resumir como sigue: el fanatismo de su carrera antes de su conversión, la iniciativa divina en su conversión, y su casi total aislamiento de los líderes de la iglesia de Jerusalén después de esta se combinaban para demostrar que su mensaje no era de hombres sino de Dios. Además, esta evidencia histórica y circunstancial no admitía refutación. El apóstol está en condiciones de confirmarla y garantizarla con una solemne afirmación: **Dios me es testigo que en esto que les escribo no miento** (v. 20).

Conclusión

Volvemos, en conclusión, a la afirmación que Pablo quería recalcar al ordenar esos detalles autobiográficos. Los versículos 11–12: 'Quiero que sepan, hermanos, que el evangelio que yo predico no es invención humana. No lo recibí ni lo aprendí de ningún ser humano, sino que me llegó por revelación de Jesucristo'. Habiendo considerado la falta de contacto de él con los apóstoles de Jerusalén durante los primeros catorce años de su apostolado, ¿podemos aceptar el origen divino de su mensaje? Muchos no lo aceptan.

Algunas personas admiran la aguda inteligencia de Pablo, pero encuentran que su enseñanza es dura, fría y complicada, y en consecuencia, la rechazan.

Otros dicen que él fue el responsable de corromper el cristianismo sencillo de Jesucristo. Hace alrededor de un siglo estaba de moda poner una cuña entre Jesús y Pablo. En la actualidad es de reconocimiento general que no se puede hacer eso, porque todas las semillas de la teología de Pablo se hallan en las enseñanzas de Jesús. Sin embargo, la 'teoría de la cuña' todavía tiene sus defensores. Por ejemplo, Lord Beaverbrook escribió una breve vida de Cristo que denominó *The Divine Propagandist* (El propagandista divino). Dice que lo escribió como 'hombre de negocios' y que estaba 'tratando de entender a Jesús bajo la luz parpadeante de una inteligencia limitada y de una investigación ciertamente restringida'. Explica que ha 'examinado a los apóstoles y descuidado la teología' dice. Su argumento es que la iglesia ha entendido e interpretado mal a Jesucristo. En cuanto al apóstol, la opinión de Lord Beaverbrook es que Pablo es 'incapaz por naturaleza de entender el espíritu del Maestro'. Que Pablo 'hizo daño al cristianismo y dejó su rastro borrando muchas de las huellas de las pisadas del Maestro'.[5] Pero el apóstol no pudo haber interpretado mal a Jesús si estaba comunicando una revelación especial de Cristo, como afirma en Gálatas 1.

Otras personas tienen la idea de que Pablo era simplemente un hombre común, que compartía nuestras pasiones y falencias, de modo que su opinión no es mejor que la de cualquier otro. Sin embargo, él dice que su mensaje no es de ningún hombre sino de Jesucristo.

Otros todavía dicen que Pablo sencillamente reflejaba la visión de la comunidad cristiana del primer siglo. Pero en este pasaje él se afana por mostrar que su autorización no era eclesiástica. Era totalmente independiente de los líderes de la Iglesia. Recibió su visión de Cristo, no de la Iglesia.

Este, entonces, es nuestro dilema. ¿Aceptaremos el informe de Pablo sobre el origen de su mensaje, respaldado como está por una sólida evidencia histórica? ¿O preferiremos nuestra propia teoría, aunque carezca de evidencia histórica? Si el apóstol estaba en lo cierto al afirmar que su evangelio no era de hombres sino de Dios (Romanos 1.1), entonces rechazar a Pablo es rechazar a Dios.

4

Un solo evangelio
Gálatas 2.1–10

²·¹Catorce años después subí de nuevo a Jerusalén, esta vez
con Bernabé, llevando también a Tito. ²Fui en obediencia
a una revelación, y me reuní en privado con los que
eran reconocidos como dirigentes, y les expliqué el
evangelio que predico entre los gentiles, para que todo
mi esfuerzo no fuera en vano. ³Ahora bien, ni siquiera
Tito, que me acompañaba, fue obligado a circuncidarse,
aunque era griego. ⁴El problema era que algunos falsos
hermanos se habían infiltrado entre nosotros para
coartar la libertad que tenemos en Cristo Jesús a fin
de esclavizarnos. ⁵Ni por un momento accedimos a
someternos a ellos, pues queríamos que se preservara
entre ustedes la integridad del evangelio.

⁶En cuanto a los que eran reconocidos como personas
importantes —aunque no me interesa lo que fueran,
porque Dios no juzga por las apariencias—, no me
impusieron nada nuevo. ⁷Al contrario, reconocieron
que a mí se me había encomendado predicar el
evangelio a los gentiles, de la misma manera que se
le había encomendado a Pedro predicarlo a los judíos.
⁸El mismo Dios que facultó a Pedro como apóstol de
los judíos me facultó también a mí como apóstol de
los gentiles. ⁹En efecto, Jacobo, Pedro y Juan, que eran
considerados columnas, al reconocer la gracia que yo
había recibido, nos dieron la mano a Bernabé y a mí en
señal de compañerismo, de modo que nosotros fuéramos
a los gentiles y ellos a los judíos. ¹⁰Sólo nos pidieron que

nos acordáramos de los pobres, y eso es precisamente lo que he venido haciendo con esmero.

La insidiosa actividad de los falsos maestros fue una pesadilla en la vida y el ministerio de Pablo. Dondequiera que iba le pisaban los talones. En cuanto sembraba el evangelio en alguna localidad, los falsos maestros comenzaban a perturbar a la iglesia, confundiéndola. Además, como hemos visto, para desacreditar el mensaje de Pablo también desafiaban su autoridad.

Este aspecto es importante para nosotros porque los detractores del apóstol tienen muchos sucesores en la iglesia cristiana de hoy. Nos dicen que no necesitamos prestar atención a sus escritos. Olvidan o niegan que Pablo fuera un apóstol de Jesucristo llamado, comisionado, autorizado e inspirado de manera singular para enseñar en nombre de Dios. Ignoran la afirmación del propio Pablo (1.11–12) de que su mensaje no provenía de ningún hombre sino de Jesucristo.

Una de las formas en que ciertos falsos maestros de la época del apóstol intentaban socavar su autoridad era insinuar que su evangelio era diferente del de Pedro, e incluso de la visión de todos los demás apóstoles en Jerusalén. 'Como resultado', decían, 'la iglesia está siendo sometida a dos evangelios, el de Pablo y el de Pedro, y cada uno sostiene su origen divino. ¿A cuál aceptaremos?'... Y continuaban: 'Con seguridad no podemos seguir a Pablo porque está en minoría absoluta, y además Pedro y el resto de los apóstoles están en desacuerdo con él'. Evidentemente este era uno de los argumentos engañosos de los judaizantes. Procuraban romper la unidad del círculo apostólico. Sostenían abiertamente que los apóstoles se contradecían entre sí. Diríamos que su juego no consistía en 'robarle a Pedro para pagarle a Pablo', ¡sino en exaltar a Pedro para mortificar a Pablo!

Es a esta insinuación que ahora se dirige Pablo. En el capítulo 1 ha demostrado que su evangelio viene de Dios, no de los hombres. En la primera parte del capítulo 2, mostró que su evangelio era precisamente el mismo que el de los demás apóstoles, sin ninguna diferencia. Para demostrar que su evangelio era independiente del de los demás apóstoles, había señalado que en catorce años solo había visitado Jerusalén una sola vez, y que la visita duró solamente 15 días. Sin embargo, para confirmar que su evangelio era idéntico al de ellos, ahora hace hincapié en que cuando realizó una visita más concreta a Jerusalén, su evangelio fue respaldado y aprobado por ellos.

Consideremos las circunstancias de esta visita a Jerusalén. Versículos 1–2: **Catorce años después subí de nuevo a Jerusalén, esta vez con Bernabé, llevando también a Tito. Fui en obediencia a una revelación, y me reuní en privado con los que eran reconocidos como dirigentes, y les expliqué el evangelio que predico entre los gentiles, para que todo mi esfuerzo no fuera en vano.** Esta era su segunda visita (**subí de nuevo**), y era **catorce años después** (probablemente desde su conversión, no desde su visita anterior). Hay dos aspectos importantes de esta visita, a saber, sus compañeros y su mensaje.

Primero, sus *compañeros*. Eran Bernabé y Tito. Lo que resulta particularmente notable es que Bernabé era judío (aunque estaba asociado a Pablo en su misión a los gentiles en Antioquia y más tarde en su primer viaje misionero), mientras que Tito era griego. Es decir, Tito era un gentil incircunciso, precisamente un resultado de la misión a los gentiles que luego sería motivo de disputa y a la que desafiaban los judaizantes.

Segundo, su *evangelio*. Pablo va a exponer ante los demás apóstoles el evangelio que predicaba a los gentiles. En verdad esto último no era el motivo de su viaje a Jerusalén. La razón de su visita era otra. **Fui en obediencia a una revelación,** dice (v. 2). Es decir, fue porque Dios le dijo que fuera, no porque los apóstoles lo mandaran a llamar para examinarlo. (No sabemos de qué se trataba esa revelación, pero la referencia podría ser a la profecía de Agarbo sobre una gran hambruna, como resultado de la cual Pablo y Bernabé fueron enviados a Jerusalén en una misión de ayuda. Ver Hechos 11.23–27). También es cierto que la consulta entre Pablo y los otros apóstoles fue un asunto breve y privado. No fue de ninguna manera una conferencia oficial o 'sínodo'.

No obstante, aunque no era el propósito de su visita a Jerusalén, ni un arreglo oficial, la consulta efectivamente se llevó a cabo. En ella Pablo 'explicó' ante los apóstoles de Jerusalén el evangelio que estaba predicando a los gentiles, y dice que lo hizo para que todo su esfuerzo no fuera en vano. No es, con toda seguridad, que tuviera dudas o reservas personales acerca de su evangelio y necesitara que los otros apóstoles de Jerusalén lo tranquilizaran, porque venía predicándolo desde hacía catorce años; fue más bien por miedo a que los judaizantes hicieran que su ministerio pasado y presente resultara infructuoso. Expuso su evangelio ante los demás apóstoles para demoler la influencia de los judaizantes, no para reforzar su propia convicción.

Esas son las dos características fundamentales de esta visita. Llevó consigo a Jerusalén un compañero gentil y un evangelio gentil. Se trataba de una situación tensa pero crucial, una situación llena de riesgos y también de grandes posibilidades para la historia posterior de la Iglesia cristiana. ¿Cuál sería la reacción de los apóstoles en Jerusalén ante el compañero gentil de Pablo y su misión a los gentiles? ¿Recibirían a Tito como un hermano o lo repudiarían por no ser circuncidado? ¿Respaldarían el evangelio de Pablo o intentarían modificarlo de alguna manera? Estas eran las preguntas en la mente de todo el mundo. Detrás de ellas estaba la cuestión fundamental: ¿Se sostendría la libertad para la que Cristo nos salvó, o estaría la Iglesia condenada a la esclavitud y a la esterilidad? ¿Tenían los judaizantes alguna base para el rumor de que había una ruptura en las filas de los apóstoles? Pablo relata a sus lectores lo que ocurrió en esa consulta memorable. Su compañero gentil, Tito, no fue intimado ni obligado a circuncidarse (vv. 3–5), y el evangelio que predicaba a los gentiles no fue contradicho ni modificado de ninguna manera (vv. 6–10). Por el contrario, Tito fue aceptado y el evangelio de Pablo también. La ruptura en las filas de los apóstoles era un mito, no tenía fundamento.

Habiendo presentado los principales puntos del argumento en estos versículos, ahora debemos examinarlos en detalle.

1. Los compañeros de Pablo | 3–5

> [3] Ahora bien, ni siquiera Tito, que me acompañaba, fue obligado a circuncidarse, aunque era griego. [4] El problema era que algunos falsos hermanos se habían infiltrado entre nosotros para coartar la libertad que tenemos en Cristo Jesús a fin de esclavizarnos. [5] Ni por un momento accedimos a someternos a ellos, pues queríamos que se preservara entre ustedes la integridad del evangelio.

Claro que era un paso audaz el de Pablo, el de llevar a Tito consigo. Presentar a un gentil en el cuartel general de la iglesia de Jerusalén podría ser interpretado como un acto deliberado de provocación. En un sentido, probablemente lo era, aunque la motivación del apóstol no fuera provocativa. No era generar conflicto lo que motivó que llevara consigo a Tito, sino establecer la verdad del evangelio. Dicha verdad es que judíos y gentiles son aceptados por Dios en los mismos términos, es decir, por la fe en Jesucristo, y en consecuencia deben ser aceptados por la iglesia sin discriminación alguna entre ellos.

Esa era la cuestión. Y en esa oportunidad se expuso el asunto y se estableció la verdad: **ni siquiera Tito … fue obligado a circuncidarse, aunque era griego.** No obstante, la victoria no se logró sin batalla, porque hubo una fuerte presión sobre Pablo para que circuncidara a su discípulo. Esa presión vino de **algunos falsos hermanos** a quienes la NTV llama 'falsos cristianos' y JBP 'seudocristianos'. Como comenta con toda razón John Brown: "Esos individuos eran hermanos, es decir cristianos de nombre; pero eran 'falsos hermanos', judíos en realidad".[1] Casi seguro que eran judaizantes, y Pablo tiene algunas palabras duras para con ellos. **Se habían infiltrado**, eran 'intrusos' (LP). Esto puede significar que no tenían nada que hacer en la comunidad de la iglesia, o que se habían colado en la conferencia privada con los apóstoles. Así lo entiende JBP, que traduce la frase como 'quienes lograron colarse en nuestra reunión'. En cualquier caso, en la percepción de Pablo eran espías. **Se habían infiltrado entre nosotros para coartar la libertad que tenemos en Cristo Jesús a fin de esclavizarnos.** En particular, intentaron insistir en la circuncisión de Tito. Sabemos que esa era la plataforma del partido judaizante, porque conocemos su consigna de Hechos 15.1: 'A menos que ustedes se circunciden, conforme a la tradición de Moisés, no pueden ser salvos'.

El apóstol vio el asunto con claridad. No era simplemente cuestión de circuncisión e incircuncisión, de costumbres judías o gentiles. Era un asunto de importancia fundamental en relación a la verdad del evangelio, es decir, de libertad cristiana o de esclavitud. El cristiano ha sido librado de la ley en el sentido de que su aceptación por el Señor depende enteramente de la gracia de Dios manifestada en la muerte de Jesucristo y de su aceptación por fe. Introducir las obras de la ley y hacer depender nuestra aceptación de la obediencia a las leyes y reglamentaciones, equivalía a llevar a un hombre libre de nuevo a la esclavitud. El caso de Tito sienta precedente de este principio. Es cierto que era un gentil incircunciso, pero era un cristiano convertido. Había creído en Jesús y en consecuencia había sido aceptado por Dios en Cristo, y eso, decía Pablo, era suficiente. No hacía falta nada más para su salvación, como más tarde lo confirmaría el Concilio de Jerusalén (ver Hechos 15).

De modo que el apóstol se mantuvo firme. Estaba en juego **la integridad del evangelio**, y estaba resuelto a sostenerla. Resistió la presión de los judaizantes, y los otros apóstoles no obligaron a Tito a circuncidarse. **Ni por un momento accedimos a someternos a ellos** (es decir a los falsos hermanos). O en otra traducción: 'Mas ni por un instante me doblegué a sus pretensiones' (LP).

Es necesario agregar que estos versículos se podrían interpretar (y algunos comentaristas lo hacen) de manera que se entienda que Pablo cedió y que Tito fue circuncidado. El obispo Lighfoot se refiere al párrafo como '[un] naufragio de la gramática'.[2] Es evidente que Pablo escribe bajo la presión de fuertes emociones, incluso de mucha incomodidad. Deja inconclusa la frase en el versículo 4, y solo podemos intentar adivinar lo que hubiera dicho si la hubiera completado. Además, aunque todos los grandes códices griegos incluyen la forma negativa en el versículo 5 ('ni por un momento accedimos a someternos'), hay una o dos versiones latinas que lo omiten. Esto aparece reflejado en la nota al margen de NEB: 'Cedí a sus demandas por el momento'. Parece correcto rechazar esta lectura. Pero si por casualidad fuera correcta, entonces debemos entender que Pablo circuncidó a Tito (como hizo más tarde con Timoteo) como un gesto conciliador (Hechos 16.3). Una vez establecido un principio fundamental de la verdad del evangelio, el apóstol estaba dispuesto a hacer concesiones por prudencia. Pero, insiste aquí, lo hizo voluntariamente, no porque lo forzaron. Porque, ya sea que Tito fuera circuncidado o no, el versículo 3 dice: **ni siquiera Tito … fue** *obligado* **a circuncidarse** (cursivas añadidas). Y en el versículo 5b, Pablo expresa su motivación: **que se preservara entre ustedes la integridad del evangelio**. Mi opinión personal es que la traducción de NVI es correcta, y que Tito no fue circuncidado. Como señala muy acertadamente el obispo Lighfoot, las personas a las que Pablo hacía concesiones eran hermanos *débiles*, no *falsos*.[3]

2. El evangelio de Pablo | 6–9a

Como ya hemos visto, Pablo tuvo una entrevista privada con los apóstoles de Jerusalén (v. 2). Sabemos quiénes eran estos hombres ante quienes expuso su evangelio porque los identifica por nombre en el versículo 9. Son **Jacobo** (el hermano del Señor), **Pedro y Juan**. Sin embargo, en otros versículos de este párrafo el apóstol utiliza expresiones indirectas para referirse a ellos. Eran 'reconocidos como dirigentes' (v. 2), tenían 'fama y reputación de ser algo' (v. 6, RVC) y **eran considerados como columnas** (v. 9). En cada caso Pablo los menciona en relación a su reputación. No está siendo peyorativo con ellos, porque ya ha reconocido en Gálatas 1.17 que eran 'apóstoles antes que yo', y en el versículo 9b nos dirá que le dieron 'la mano … en señal de compañerismo'. ¿Por qué, entonces, se refiere a ellos de esa manera indirecta? Probablemente sus expresiones se vieron influidas por el hecho de que los judaizantes estaban exagerando la posición de los apóstoles de Jerusalén a expensas de la de Pablo. Como lo expresa Lightfoot, el apóstol estaba siendo 'despectivo no con los Doce, sino en realidad con las afirmaciones extravagantes y exclusivas con las que los judaizantes los describían'.[4]

A lo mejor los falsos hermanos estaban llamando la atención a lo que ellos consideraban como calificaciones superiores de Jacobo, Pedro y Juan (que Jacobo era uno de los hermanos del Señor y que Pedro y Juan habían pertenecido al círculo íntimo de tres). Por supuesto, además de eso habían conocido a Jesús personalmente cuando vivió como hombre, cosa que Pablo seguramente no. Podría ser a eso a lo que se refería este en la aclaración del versículo 6: **no me interesa lo que _fueran_, porque Dios no juzga por las apariencias** (cursivas añadidas; 'Dios no reconoce esas distinciones personales', NEB). Las palabras de Pablo no son una negación ni una señal de falta de respeto a la autoridad apostólica. Sencillamente está indicando que, aunque acepta la _posición_ que ocupaban como apóstoles, no se siente intimidado por la _persona_ de ellos, inflada como estaba por los judaizantes.

3. El resultado de la consulta | 9b–10

Pablo, entonces, expone su evangelio ante los apóstoles de Jerusalén. ¿Cuál fue el resultado de esta consulta? ¿Se opusieron a su evangelio? ¿Lo modificaron, corrigieron, recortaron o le agregaron? No. Él menciona dos resultados, uno en forma negativa y otro en forma positiva.

El resultado negativo está al final del versículo 6: 'no me impusieron nada nuevo'. En otras palabras, no encontraron incompleto su mensaje. No hicieron ningún intento de agregar al mensaje la circuncisión, ni de adornarlo de alguna u otra manera. No le dijeron a Pablo: 'Tu evangelio está bien hasta donde llega, pero no llega muy lejos; te falta algo'. En realidad, no le hicieron ninguna modificación. Es significativo que el apóstol describa el evangelio que expuso ante los apóstoles como 'el evangelio que predico' (tiempo presente). Es como si escribiera: 'El evangelio que expuse a los otros apóstoles es el evangelio que sigo predicando. El evangelio que predico hoy no fue modificado por ellos. Es el mismo que predicaba antes de visitarlos. Es el evangelio que les he predicado y ustedes han recibido. No he agregado nada, no he quitado nada, no he modificado nada. Son ustedes, gálatas, los que están abandonando el evangelio; no soy yo'. Ese era entonces el resultado en forma negativa. 'No me comunicaron nada nuevo' (RVC).

El resultado positivo de la consulta fue que los demás apóstoles **nos dieron la mano … en señal de compañerismo** (v. 9b). Reconocieron que a Pablo y a ellos les habían encomendado el mismo evangelio. La única diferencia entre ellos era que les habían asignado ámbitos diferentes para predicarlo. La traducción del versículo 7 de la RVC es algo errónea. Se refiere al 'evangelio de la incircuncisión' y al 'de la circuncisión', como si fueran dos evangelios diferentes, uno para los gentiles y uno para los judíos. No es así. Lo que los apóstoles comprendieron fue que Dios estaba obrando por su gracia tanto a través de Pedro como de Pablo (vv. 8–9). De modo que dieron a Pablo la diestra del compañerismo, lo que significa que 'nos aceptaron a Bernabé y a mí como sus colegas' (NTV). Sencillamente acordaron **que nosotros fuéramos a los gentiles y ellos a los judíos.**

También **nos pidieron que nos acordáramos de los pobres.** Querían que Pablo y Bernabé recordaran a las iglesias de Judea azotadas por la pobreza, que, dice Pablo, 'es algo que yo siempre tengo deseos de hacer' (v. 10, NTV). En realidad, era principalmente para ayudar con el hambre que Bernabé y Pablo estaban en Jerusalén en ese momento, como hemos visto antes. Y este siguió ocupándose de los pobres en los años siguientes, organizando su célebre colecta, animando a las iglesias gentiles más pudientes de Macedonia y Acaya a sostener a las iglesias más pobres de Judea, y considerando sus donaciones como un medio para fomentar y demostrar la solidaridad entre judíos y gentiles en la comunidad de la iglesia cristiana.

Volviendo atrás, al primer párrafo de Gálatas 2, hemos aprendido que, en su segunda visita a Jerusalén, Pablo se encontró con dos grupos de hombres cuya actitud hacia él difería completamente. Los 'falsos hermanos', que no estaban de acuerdo con su evangelio y su método, trataron de obligar a Tito a circuncidarse. Pablo se negó a someterse a ellos. Por el otro, los apóstoles que reconocieron la verdad de su evangelio y le dieron la diestra en señal de confirmación.

Conclusión

Algunas de las personas que lean estas páginas sin duda se sentirán tentadas a impacientarse. Les parecerá poco más que un complicado embrollo. Una visita de Pablo a Jerusalén en el primer siglo d.C., la cuestión de si Tito era o no circuncidado, una consulta entre Pablo y los apóstoles de Jerusalén... todo parece muy distante y totalmente desvinculado de los problemas del siglo XXI. Pero no es así. Por lo menos dos principios de suma importancia surgen de este párrafo.

a. La verdad del evangelio es una e inalterable

Cuando analizábamos Gálatas 1.6–10, comprobamos que hay un solo evangelio. Ahora podemos avanzar y decir que todo el Nuevo Testamento presenta este único evangelio en forma coherente. Está de moda en ciertos círculos hablar del evangelio 'paulino', del evangelio 'petrino', y del evangelio 'juanino', como si fueran completamente diferentes uno del otro. Algunas personas hablan de 'paulinismo' como si fuera una marca diferente de cristianismo, incluso hasta una religión totalmente diferente. Y hasta llegan a poner a Pablo y Jacobo uno en contra del otro como si se contradijeran mutuamente.

Todo eso es un error. Los apóstoles de Jesucristo no se contradicen entre sí en el Nuevo Testamento. Ciertamente hay diferentes *estilos* entre ellos, porque su inspiración no borró su personalidad individual. También son diferentes los *énfasis* de cada uno, porque estaban llamados a diferentes ámbitos y predicaban o escribían para diferentes audiencias. En consecuencia, destacan aspectos diferentes del evangelio. Por ejemplo, Pablo escribía contra los legalistas y Pedro contra los antinomianos. Pero se complementan entre sí. Hay un solo evangelio, la fe apostólica, un cuerpo reconocible de doctrinas enseñadas por los apóstoles de Jesucristo y preservadas para nosotros en el Nuevo Testamento. Pablo se esfuerza en este pasaje por mostrar que está totalmente de acuerdo con los apóstoles de Jerusalén y ellos con él. Hace la misma afirmación en 1 Corintios 15.11: 'Se trate de mí o de ellos, esto es lo que predicamos, y esto es lo que ustedes han creído'. Hay solo un evangelio del Nuevo Testamento, solo un cristianismo; no hay varias alternativas legítimas.

Y sigue siendo así hoy en día. Si hay solo un evangelio en el Nuevo Testamento, hay solo un evangelio para la Iglesia. El evangelio no ha cambiado a lo largo de los diferentes siglos. Ya sea que se lo predique a jóvenes o ancianos, al este o al oeste, a judíos o gentiles, a cultos o incultos, a científicos o no científicos, aunque su presentación pueda variar, su contenido es el mismo. Pablo y Pedro tenían una comisión diferente, pero tenían un mensaje común.

b. La verdad del evangelio debe ser sostenida

Este es el segundo principio que se ilustra en Gálatas 2. Pablo estaba decidido a resistir a los judaizantes. Incluso estaba preparado, como veremos en la siguiente sección (vv. 11–14), para oponerse frontalmente a Pedro cuando su conducta contradijo al evangelio. Pablo era muy amable con los hermanos 'débiles', cuya conciencia era demasiado escrupulosa. Estaba dispuesto a hacer concesiones políticas, como cuando más adelante circuncidó a Timoteo. Pero por una cuestión de principio, cuando la verdad del evangelio estaba en juego, se mantenía firme e inamovible.

Martín Lutero expresa bien esta combinación de amabilidad y firmeza:

Que esta sea la conclusión de todo, soportaremos que nos sean quitados nuestros bienes, nuestro nombre, nuestra vida y todo lo que tenemos; pero jamás aceptaremos que nos sean arrebatados el evangelio, nuestra fe, o Jesucristo. Y maldita aquella humildad que se rebaja y se somete. Más bien, que todo cristiano aquí presente, sin excepción, se sienta orgulloso, a menos que niegue a Cristo.

Por lo tanto, con la ayuda de Dios, tendré la frente más alta que la de cualquier hombre. En esto me atribuyo este título, según el proverbio: *cedo nulli*, no le doy lugar a nadie. Sí, me alegro de todo corazón de parecer rebelde y obstinado en este punto. Y confieso que soy y siempre seré fuerte y resistente, y no cederé un milímetro a ninguna criatura. La caridad da lugar, ya que 'todo lo disculpa, todo lo cree, todo lo espera, todo lo soporta' (1 Corintios 13.7), pero la fe no da lugar.

Ahora bien, en cuanto a la fe debemos ser invencibles, y más duros, si se me permite, que una sólida roca; pero en cuanto a la caridad, debemos ser blandos, y más flexibles que un junco o una hoja sacudida por el viento, y dispuestos a ceder ante todo.[5]

5

Pablo se enfrenta a Pedro en Antioquía
Gálatas 2.11–16

[11]Pues bien, cuando Pedro fue a Antioquía, le eché en cara su comportamiento condenable. [12]Antes que llegaran algunos de parte de Jacobo, Pedro solía comer con los gentiles. Pero cuando aquéllos llegaron, comenzó a retraerse y a separarse de los gentiles por temor a los partidarios de la circuncisión. [13]Entonces los demás judíos se unieron a Pedro en su hipocresía, y hasta el mismo Bernabé se dejó arrastrar por esa conducta hipócrita.

[14]Cuando vi que no actuaban rectamente, como corresponde a la integridad del evangelio, le dije a Pedro delante de todos: "Si tú, que eres judío, vives como si no lo fueras, ¿por qué obligas a los gentiles a practicar el judaísmo?

[15]"Nosotros somos judíos de nacimiento y no 'pecadores paganos'. [16]Sin embargo, al reconocer que nadie es justificado por las obras que demanda la ley sino por la fe en Jesucristo, también nosotros hemos puesto nuestra fe en Cristo Jesús, para ser justificados por la fe en él y no por las obras de la ley; porque por éstas nadie será justificado".

Este es, sin lugar a dudas, uno de los episodios más tensos y dramáticos del Nuevo Testamento. Aquí tenemos a dos destacados apóstoles de Jesucristo enfrentados en un conflicto abierto y total.

El escenario ha cambiado desde Jerusalén, capital del judaísmo, donde se sitúan los primeros versículos de este capítulo, a Antioquía, la principal ciudad de Siria, incluso de Asia, donde había comenzado la misión a los gentiles, y donde los discípulos fueron llamados 'cristianos' por primera vez. Cuando Pablo visitó Jerusalén, Pedro (junto con Jacobo y Juan) le dio la diestra en señal de compañerismo (vv. 1–10). Cuando Pedro visitó Antioquía, Pablo se le opuso de frente (vv. 11–16).

Ahora bien, los dos eran cristianos y hombres de Dios, que sabían lo que significa ser perdonados por medio de Cristo y haber recibido el Espíritu Santo. Además, ambos eran apóstoles de Jesucristo, especialmente llamados, comisionados e investidos con autoridad por él. Los dos eran honrados en las iglesias por su liderazgo. Ambos habían sido poderosamente usados por Dios. En efecto, el libro de Hechos está prácticamente dividido en partes iguales: la primera parte relata la historia de Pedro, en tanto que la segunda narra la de Pablo.

Sin embargo, aquí está el apóstol Pablo enfrentándose cara a cara con el apóstol Pedro, contradiciéndolo, reprendiéndolo y condenándolo porque se había retirado y separado de los creyentes cristianos gentiles, y ya no compartía la mesa con ellos. No era que Pedro negara el evangelio con sus *enseñanzas*, porque Pablo ha demostrado qué él y los apóstoles de Jerusalén estaban de acuerdo en su comprensión (vv. 1–10), y aquí lo repite (vv. 14–16); Pedro estaba ofendiendo el evangelio con su *conducta*. En las palabras de JBP, su 'conducta estaba en contradicción con la verdad del evangelio'.

Debemos investigar esta situación, en la que estos dos apóstoles líderes aparecen enfrentados. Es importante analizar especialmente qué hizo cada uno de ellos, por qué lo hizo y cuál fue el resultado. Comenzaremos con Pedro.

1. La conducta de Pedro | 11–13

a. Qué hizo

Cuando Pedro llegó a Antioquía comía con los cristianos gentiles. En realidad, el tiempo pretérito imperfecto del verbo muestra que esta había sido su práctica regular. **Pedro solía comer con los gentiles.** Ya había superado sus antiguos escrúpulos judíos. No se consideraba deshonrado ni contaminado en ningún sentido por el contacto con los cristianos gentiles incircuncisos, como alguna vez se habría sentido. En lugar de eso, les daba la bienvenida a su mesa, y comía con ellos. Él, que era un judío cristiano, disfrutaba la comunión en la mesa con los creyentes de aquella ciudad, que eran cristianos gentiles. Esto probablemente signifique que compartían las comidas diarias, y no cabe duda de que participaban juntos de la Cena del Señor.

Pero un día llegó a Antioquía un grupo de hombres de Jerusalén. Todos eran creyentes cristianos profesantes, pero de origen judío, en realidad fariseos estrictos (Hechos 15.5). Venían **de parte de Jacobo** (v. 12), el líder de la iglesia de Jerusalén. Eso no significa que tenían su autoridad, ya que Jacobo lo negó más tarde (Hechos 15.24), sino más bien que *afirmaban* tenerla. Se presentaban como delegados apostólicos. A su llegada a Antioquía comenzaron a predicar: 'A menos que ustedes se circunciden, conforme a la tradición de Moisés, no pueden ser salvos' (Hechos 15.1). Evidentemente iban más allá y enseñaban que no correspondía que los creyentes judíos circuncidados compartieran la mesa con los creyentes gentiles incircuncisos, aunque estos últimos habían creído en Jesucristo y se habían bautizado.

Estos maestros judaizantes se ganaron un importante adepto a su perniciosa política en la persona del apóstol Pedro. Porque él, que antes había comido con estos cristianos gentiles, ahora se retiraba de la mesa y se apartaba de ellos. Parece haber asumido esa conducta con vergüenza. Como lo expresa el obispo Lightfoot, 'las palabras describen convincentemente la cautelosa retirada de una persona tímida que se retrae ante las miradas'.[1]

b. Por qué lo hizo

¿Por qué produjo Pedro esta desastrosa ruptura en la comunión de la iglesia de Antioquía? Ya hemos visto la causa inmediata, a saber, que llegaron 'algunos de parte de Jacobo' (v. 12). Pero ¿por qué cedió ante ellos? ¿Debemos suponer que lo convencieron de que había obrado mal al compartir la mesa con los cristianos gentiles? Imposible.

Quiero recordarles que poco tiempo antes, como se registra en Hechos 10 y 11, Pedro había recibido una revelación directa y especial de Dios precisamente sobre este asunto. Estaba en la azotea de una casa de Jope una tarde cuando cayó en trance. En su visión vio descender del cielo un lienzo sostenido por sus cuatro extremos que contenía toda una variedad de criaturas impuras (aves, bestias y reptiles). Luego escuchó una voz que le decía: 'Levántate, Pedro; mata y come'. Cuando él se negó, la voz continuó: 'Lo que Dios ha purificado, tú no lo llames impuro'. La visión se repitió tres veces para darle énfasis. De ello Pedro sacó la conclusión de que debía acompañar a los mensajeros gentiles que habían venido de parte del centurión Cornelio y entrar a su casa, cosa que era ilícita para él como judío. En el sermón que predicó en la casa de Cornelio dijo: 'Ahora comprendo que en realidad para Dios no hay favoritismos'. Cuando el Espíritu cayó sobre los gentiles que creyeron, Pedro estuvo de acuerdo en que debían recibir el bautismo cristiano y ser aceptados en la iglesia cristiana.

¿Debemos suponer que él había olvidado ahora la visión de Jope y la conversación en la casa del centurión? ¿O que ahora cambiaba de opinión en cuanto a la revelación que Dios le había dado en esa oportunidad? Seguro que no. No hay ningún indicio en Gálatas 2 de que Pedro hubiera cambiado de idea. ¿Por qué entonces se retiraba de la comunión de los gentiles en Antioquía? Pablo nos dice que Pedro **comenzó a retraerse y a separarse de los gentiles por temor a los partidarios de la circuncisión** (v. 12). **Entonces los demás judíos se unieron a Pedro en su hipocresía, y hasta el mismo Bernabé se dejó arrastrar por esa conducta hipócrita** (v. 13). La palabra hipocresía significa simulación, actuación. Eso era lo que estaban haciendo: 'actuaron falsamente' (NEB).

La acusación de Pablo es seria, pero sencilla. Pedro y los demás estaban actuando con hipocresía, y no por convicción personal. Su abandono de la mesa de comunión con los creyentes gentiles no era motivado por algún principio teológico, sino por un cobarde temor a un pequeño grupo de presión. De hecho, Pedro hizo en Antioquía, precisamente, lo que Pablo se negó a hacer en Jerusalén, es decir, ceder ante la presión. El mismo Pedro que había negado a su Señor por temor a una sirvienta ahora lo negaba nuevamente por temor al partido de la circuncisión. Creía en el evangelio, pero no lo estaba practicando. Su conducta 'no cuadraba' (v. 14, NEB) con el evangelio. Lo contradecía en la práctica, porque carecía del coraje para sostener sus convicciones.

c. Cuál fue el resultado

Ya hemos observado que **los demás judíos se unieron a Pedro en su hipocresía, y hasta el mismo Bernabé se dejó arrastrar por esa conducta hipócrita** (v. 13). 'Su disimulación', comenta Lightfoot, 'fue como una inundación que arrasó con todo'.[2] Incluso Bernabé, el fiel amigo y colega misionero de Pablo, que se había mantenido firme con él en Jerusalén (vv. 1, 9), ahora flaqueó en Antioquía. Esto es importante. Si Pablo no hubiera enfrentado a Pedro ese día, toda la iglesia cristiana hubiera sido arrastrada a un remanso judío y se hubiera estancado, o hubiera quedado una ruptura permanente entre la cristiandad gentil y la judía, 'un Señor, pero dos mesas del Señor'.[3] El excepcional coraje de Pablo en esta oportunidad, al resistir a Pedro, preservó la verdad del evangelio y la hermandad internacional de la Iglesia.

Dejamos ahora a Pedro y retornamos a Pablo.

2. La conducta de Pablo | 14–16

a. Lo que hizo

En el versículo 11 decía: 'le eché en cara su comportamiento condenable'. Pablo 'reprendió' (DHH), 'enfrentó' (RVC), 'se opuso' (BA) a Pedro cara a cara. El motivo de esta actitud drástica de Pablo era que Pedro 'era digno de ser censurado' (NBLH). Es decir, 'estaba muy equivocado en lo que hacía' (NTV). No solo eso, Pablo lo reprendió 'delante de todos' (v. 14), abierta y públicamente.

Pablo no dudó en consideración a quién era Pedro. Lo reconocía como apóstol de Jesucristo, que efectivamente había sido designado apóstol antes que él (1.17). Sabía que Pedro era una de las 'columnas' de la iglesia (v. 9), a quien Dios había confiado el evangelio a los circuncidados (v. 7). Pablo no negó ni olvidó estas cosas. No obstante, eso no le impidió enfrentar y oponerse a Pedro. Tampoco se acobardó de hacerlo públicamente. No escuchó a los que seguramente le aconsejaron ser prudente y evitar 'lavar los trapos sucios de la teología' en público. No hizo ningún intento por acallar la disputa o por organizar (como seguramente lo haríamos nosotros) una discusión en privado de la que el público o la prensa quedaran excluidos. La consulta en Jerusalén había sido privada (v. 2) pero la confrontación en Antioquía tenía que ser pública. La actitud de abandono de Pedro hacia los creyentes gentiles había generado un escándalo público; correspondía que fuera enfrentado en público. De modo que la oposición de Pablo a Pedro fue 'cara a cara' (v. 11, RVC) y 'delante de todos' (v. 14). Era precisamente el tipo de choque abierto y frontal que la Iglesia de hoy procuraría evitar a cualquier precio.

b. Por qué lo hizo

¿Cómo es que Pablo se atrevió a enfrentar a un colega apóstol de Jesucristo, y hacerlo públicamente? ¿Se debió a que tenía un temperamento irascible y no podía controlar su mal genio y su lengua? ¿Acaso era un exhibicionista que disfrutaba de las discusiones? ¿Consideraba a Pedro un rival peligroso, de modo que no dejó pasar la oportunidad para derribarlo? No. Ninguna de esas bajas pasiones lo motivó.

¿Por qué lo hizo, entonces? La respuesta es simple. Pablo actuó motivado por una profunda preocupación por el propio principio del que Pedro carecía. Sabía que el principio teológico que estaba en juego no era un asunto trivial. Martín Lutero captó admirablemente este punto: 'Tenía entre manos un asunto para nada insignificante, nada menos que el principal artículo de la doctrina cristiana... Porque ¿qué es Pedro? ¿Qué es Pablo? ¿Qué es un ángel venido del cielo? ¿Qué son todas las demás criaturas frente al artículo de la justificación, al que, si conocemos, estamos a plena luz, pero si ignoramos, estamos en la más miserable oscuridad?'.[4]

¿Cuál era este principio teológico que estaba en juego? Dos veces en este capítulo el apóstol lo llama 'la integridad del evangelio'. Ese había sido el tema en Jerusalén (v. 5), y ese era otra vez el tema en Antioquía (v. 14). Observemos la percepción espiritual respecto a la cuestión fundamental que plantea: que Pedro y los otros 'no andaban rectamente' (RVR, frase literal en v. 14) según la verdad del evangelio. **La integridad del evangelio** parece asimilarse a un sendero recto y angosto. En lugar de ceñirse al mismo, Pedro se estaba desviando.

¿Cuál es, entonces, la integridad del evangelio? Cualquier lector de la epístola a los Gálatas debería saber la respuesta. Es la buena noticia de que nosotros los pecadores, culpables y bajo el juicio de Dios, podemos ser perdonados y aceptados por su pura gracia, por su favor libre e inmerecido, sobre la base de la muerte de su Hijo y no por alguna obra o mérito nuestro. Más brevemente, la verdad del evangelio es la verdad de la justificación (que significa ser aceptados delante del Señor) por la sola gracia, por medio de la fe sola, sobre lo cual Pablo continúa exponiendo en los versículos 15–17.

Él, sencillamente, no puede tolerar ninguna desviación de este evangelio. Al comienzo de la epístola expresó un terrible *anathema* sobre quienes lo tergiversan (1.8–9). En Jerusalén rehusó someterse a los judaizantes ni por un momento, para 'que se preservara entre ustedes la integridad del evangelio' (2.5). Y ahora en Antioquía, movido por la misma intensa lealtad, resiste a Pedro de frente porque su conducta contradice el evangelio. Pablo está resuelto a defender y sostener el evangelio a cualquier precio, incluso a expensas de tener que humillar públicamente a un apóstol hermano.

Alguno se preguntará cómo es que la retirada de Pedro contradecía el evangelio. Consideremos cuidadosamente el razonamiento de Pablo. Los versículos 15–16: **Nosotros** (es decir, Pablo y Pedro)... **[reconocemos] que nadie** (ninguna persona, sea judía o gentil) **es justificado por las obras que demanda la ley sino por la fe en Jesucristo**... Estas palabras son parte de lo que Pablo le dijo a Pedro en Antioquía. Le está recordando el evangelio que ambos conocían y que compartían. En este asunto no había diferencia de opinión entre ellos. Estaban de acuerdo en que Dios acepta al pecador por la fe en Cristo y por la obra que Cristo completó en la cruz. Esta es la única forma de salvación para todos los pecadores, tanto judíos como gentiles. No hay diferencia entre ellos en cuanto pecadores; por lo tanto no hay diferencia entre ellos en los medios de salvación.

Ahora bien, si Dios justifica a judíos y gentiles en los mismos términos, por medio de la simple fe en el Cristo crucificado, y no hace diferencia entre ellos, ¿quiénes somos nosotros para negar la comunión a los creyentes gentiles a menos que estén circuncidados?

Si el Señor no exige esta obra de la ley llamada circuncisión para aceptarlos, ¿cómo nos atrevemos a imponerles una condición que él no les impone? Si Dios los ha aceptado, ¿cómo podemos nosotros rechazarlos? Si él los recibe en *su* comunión, ¿podemos negarles la *nuestra*? El Señor los ha reconciliado consigo, ¿cómo podemos apartarnos de quienes él ha reconciliado? El principio está bien expresado en Romanos 15.7. 'Acéptense mutuamente, así como Cristo los aceptó a ustedes'.

Pedro mismo había sido justificado por la fe en Jesús. No solo 'conocía' la doctrina de la justificación por fe, sino que él mismo había obrado en función de ella 'creyendo' en Jesús para ser justificado (v. 16). Además Pedro ya no cumplía con los reglamentos judíos para la comida. **Si tú, que eres judío, vives como si no lo fueras, ¿por qué obligas a los gentiles a practicar el judaísmo?** (v. 14).

c. ¿Cuál fue el resultado?

No se nos dice en forma explícita en este pasaje el resultado de la acción de Pablo, pero la perspectiva que da la historia posterior nos dice algo. Porque este incidente en Antioquía precipitó el futuro Concilio en Jerusalén que se describe en Hechos 15. Es posible que Pablo ya estuviera camino a aquella ciudad para el Concilio cuando escribió esta epístola. Sabemos por Hechos 15.1-2 que las divisiones producidas por los judaizantes en Antioquía fueron la causa inmediata del Concilio. Pablo, Bernabé y algunos otros fueron designados por la iglesia para subir a Jerusalén para reunirse con los apóstoles y los ancianos precisamente por ese asunto. También conocemos la decisión a la que arribó este Concilio, a saber, que no se debía exigir que los creyentes gentiles se circuncidaran. De esa manera, en parte como resultado de la postura que adoptó Pablo ante Pedro ese día en Antioquía, se ganó un gran triunfo para el evangelio.

Conclusión

¿Qué podemos aprender hoy en día de este choque entre Pedro y Pablo en Antioquía? ¿Fue solo un choque indecoroso e inapropiado de personalidades sin ningún significado duradero? Todo lo contrario, la controversia entre Pablo y Pedro se repite en el debate eclesiástico contemporáneo, especialmente en relación a la comunión entre iglesias. El escenario es diferente. Ya no es Siria o Palestina, sino otras partes del mundo. También los participantes son diferentes. Ya no son los apóstoles del primer siglo, sino líderes de iglesia del siglo XXI. El campo de batalla también es distinto, ya no se trata de la circuncisión mosaica, sino de cuestiones muchas veces secundarias. Sin embargo, el punto fundamental que está en juego es justamente el mismo, es decir sobre qué base los creyentes cristianos pueden disfrutar la comunión de unos con otros en la mesa, y sobre qué base deberían separarse entre sí y ejercer la excomunión. La respuesta a estas preguntas la da el evangelio. Este es la buena nueva de la justificación de los pecadores por la gracia del Señor. Nos dice que la aceptación de los pecadores por parte de Dios es por la fe sola, totalmente independiente de las obras. Esta es la verdad del evangelio. Una vez que la hemos captado claramente, estamos en condiciones de entender nuestra doble responsabilidad para con ella.

a. Debemos andar en rectitud según el evangelio

No basta con *creer* el evangelio (Pedro lo hacía, v. 16), ni siquiera con que nos esforcemos por *preservarlo*, como lo hacían Pablo y los apóstoles de Jerusalén, en tanto que los judaizantes no. Tenemos que ir más allá. Debemos *aplicarlo*; es allí donde Pedro falló. Sabía perfectamente bien que la fe en Jesús es la única condición sobre la que *Dios* tiene comunión con los pecadores; pero *él* agregó la circuncisión como condición extra sobre la que *él* estaba dispuesto a tener comunión con ellos, con lo cual contradecía el evangelio.

Todavía hoy diversos grupos de cristianos y otras personas repiten el error de Pedro. Se niegan a tener comunión con creyentes cristianos profesantes a menos que hayan sido totalmente inmersos en el agua (no aceptan ninguna otra forma de bautismo), o a menos que hayan sido confirmados episcopalmente (insisten en que solo sirven las manos de un obispo que pertenezca a la sucesión histórica), o a menos que su piel tenga un color particular, o a menos que provengan de determinado estrato social (generalmente el más alto) y así sucesivamente.

Todo esto es una dolorosa afrenta al evangelio. La justificación es por la fe sola; no tenemos derecho a agregar una forma particular de bautismo, como tampoco ninguna condición denominacional, racial o social. Dios tampoco exige esas cosas. ¿Qué es esta exclusividad eclesiástica que *nosotros* practicamos pero *Dios* no? ¿Somos más arrogantes que él? La única barrera para tener comunión con Dios, y en consecuencia unos con otros, es la ausencia de fe salvadora en Jesucristo.

Claro que no somos anarquistas. Hay un lugar para la sana disciplina en la iglesia. Cada iglesia tiene el derecho de establecer sus propias reglas para sus miembros. El propósito de una disciplina doméstica es asegurar, hasta donde nos sea posible a los seres humanos, que quienes solicitan la membresía en una iglesia han sido justificados por fe. Pero negar a otro cristiano (un miembro creyente, bautizado y partícipe de la comunión de otra iglesia) el acceso a la mesa del Señor, simplemente porque no ha sido inmerso o confirmado, o porque no es esto o aquello, es una ofensa a Dios que lo ha justificado, un insulto a un hermano por quien Jesucristo murió, y una contradicción con la verdad del evangelio. ¿Puedo considerar impuro a otro creyente justificado, al punto de no comer con él? Tenemos que volver a escuchar la voz celestial: 'Lo que Dios ha purificado, no lo llames tú impuro' (Hechos 10.15).

b. Debemos enfrentar a los que niegan el evangelio

Cuando el asunto que nos separa es trivial, debemos ser lo más flexibles que podamos. Pero cuando está en juego la verdad del evangelio, debemos mantenernos firmes. Damos gracias a Dios por Pablo que enfrentó a Pedro cara a cara, por Atanasio que enfrentó a todo el mundo cuando la cristiandad abrazó el arrianismo, y por Lutero que osó desafiar al mismo papado. ¿Dónde están hoy los cristianos de ese calibre? Son muchos los grupos ruidosos de presión en la Iglesia contemporánea. No debemos sucumbir y permitir que nos sometan por temor. Si se oponen a la verdad del evangelio, no debemos dudar en enfrentarlos.

6

Justificación solo por la fe
Gálatas 2.15–21

[2.5]Nosotros somos judíos de nacimiento y no 'pecadores paganos'. [16]Sin embargo, al reconocer que nadie es justificado por las obras que demanda la ley sino por la fe en Jesucristo, también nosotros hemos puesto nuestra fe en Cristo Jesús, para ser justificados por la fe en él y no por las obras de la ley; porque por éstas nadie será justificado.

[17]Ahora bien, cuando buscamos ser justificados por Cristo, se hace evidente que nosotros mismos somos pecadores. ¿Quiere esto decir que Cristo está al servicio del pecado? ¡De ninguna manera! [18]Si uno vuelve a edificar lo que antes había destruido, se hace transgresor. [19]Yo, por mi parte, mediante la ley he muerto a la ley, a fin de vivir para Dios. [20]He sido crucificado con Cristo, y ya no vivo yo sino que Cristo vive en mí. Lo que ahora vivo en el cuerpo, lo vivo por la fe en el Hijo de Dios, quien me amó y dio su vida por mí. [21]No desecho la gracia de Dios. Si la justicia se obtuviera mediante la ley, Cristo habría muerto en vano.

En estos versículos aparece una palabra importante por primera vez en Gálatas. Es central para el mensaje de la epístola, central para el evangelio que Pablo predicaba, y en realidad central para el cristianismo mismo. Nadie puede entender el cristianismo si no entiende esta palabra. Se trata de la palabra 'justificado'. Como verbo aparece tres veces en el versículo 16 y una vez en el versículo 17, mientras que el sustantivo 'justificación' del versículo 21 generalmente se traduce como 'justicia' en las versiones españolas.

En este párrafo, entonces, Pablo desarrolla la gran doctrina de la justificación por la fe. Es la buena noticia de que los hombres y mujeres pecadores pueden ser aceptados por Dios, no por sus propias obras, sino por un sencillo acto de fe en Jesucristo. Sobre esta doctrina Martín Lutero escribe: "Esta es la verdad del evangelio. También es el principal artículo de toda la doctrina cristiana, es aquello en lo que consiste el conocimiento de toda la santidad. Por eso es muy necesario que conozcamos bien este artículo, que lo enseñemos a otros y se lo 'metamos' continuamente en la cabeza".[1] En otros lugares Lutero se refiere a la justificación como el artículo 'principal'[2], el 'fundamental'[3], 'el artículo más importante y especial de la doctrina cristiana'[4], porque es 'la que hace a los verdaderos cristianos'[5]. Y agrega: 'si el artículo sobre la justificación alguna vez se perdiera, se perdería toda la verdadera doctrina cristiana'.[6]

De manera similar, Cranmer escribió en el primer Libro de Homilías:

> Las Sagradas Escrituras enseñan esta fe: es la roca firme y el fundamento de la religión cristiana, es la doctrina que aprueban todos los antiguos autores de la Iglesia de Cristo. Esta doctrina declara y promueve la gloria de Cristo y desinfla la vanagloria de los hombres. Quien la niega no puede ser considerado verdadero cristiano, ni como alguien que promueve la gloria de Cristo, sino como adversario de Cristo y su evangelio, y como alguien que busca la vanagloria de los hombres.[7]

Si la doctrina de la justificación es central a la religión cristiana, es de suprema importancia que la comprendamos. ¿Qué significa? 'Justificación' es un término legal, tomado de las cortes de justicia. Es lo directamente opuesto a 'condenación'.[8] 'Condenar' es declarar culpable a alguien; 'justificar' es declararlo no culpable, inocente o justo. En la Biblia este término se refiere al acto de favor inmerecido de Dios por el que libera de culpa a un pecador, no solo perdonándolo o absolviéndolo, sino también considerándolo y tratándolo como justo.

Muchas personas encuentran el lenguaje de Pablo ajeno a su vocabulario, y sus argumentos intrincados y complejos. Pero ¿acaso no escribe él acerca de una necesidad universal, tan imperiosa hoy como lo fuera hace dos mil años? Porque hay por lo menos dos cosas básicas que sabemos con certeza. La primera es que Dios es justo;

la segunda es que los seres humanos no lo somos. Y si juntamos estas dos verdades, explican nuestra situación, de la cual nuestra conciencia y nuestra experiencia ya nos han hablado, es decir, que algo anda mal entre nosotros y Dios. En lugar de armonía, hay fricción. Estamos bajo el juicio, bajo la sentencia justa del Señor. Estamos alejados de su comunión y desterrados de su presencia, porque '¿qué asociación tienen la justicia y la iniquidad?' (2 Corintios 6.14, NBLH).

Siendo así, el asunto más importante que debemos enfrentar es aquel que Bildad el suhita planteó siglos atrás: '¿Cómo puede justificarse el hombre ante Dios?' (Job 25.4, RVC). O, como lo expresaría Pablo: '¿Cómo puede ser justificado un pecador condenado?' Su respuesta a estas preguntas cruciales está en este párrafo. Primero, expone la doctrina de la justificación por la fe (vv. 15–16). Luego la discute (vv. 17–21), enfrentando las principales objeciones a la misma y demostrando la absoluta imposibilidad de cualquier alternativa.

1. Exposición | 15–16

Su exposición adopta la forma de una comparación entre la doctrina de la justificación por obras de la ley de los judaizantes y la doctrina de la justificación por fe de los apóstoles. Rechaza la primera y refuerza la segunda.

a. Justificación por las obras que demanda la ley

La expresión 'la ley' supone el conjunto de los mandamientos de Dios, y **las obras que demanda la ley** son los actos de obediencia a los mismos. Los judíos suponían que podían ser justificados por ese medio. También lo creían los judaizantes, quienes profesaban creer en Jesús pero querían que todo el mundo cumpliera la ley de Moisés. Su posición era la siguiente: "La única manera de ser justificados es mediante el puro trabajo duro. Hay que esforzarse duramente para lograrlo. El 'trabajo' que hay que hacer son 'las obras que demanda la ley'. Es decir, hay que hacer todo lo que la ley manda y abstenerse de todo lo que la ley prohíbe". El argumento de judíos y judaizantes continuaba así: 'Esto significa que debemos cumplir los Diez Mandamientos, amar y servir al Dios viviente, y no tener ningún otro dios o substitutos de él. Debemos venerar su nombre y su día, honrar a nuestros padres, evitar el adulterio, el asesinato y el hurto. Jamás presentar falso testimonio contra un vecino ni codiciar nada de lo que le pertenezca'. Pero eso no es todo. "Además de la ley moral, también debemos observar la ley ceremonial. Hay que ser circuncidado y participar de la iglesia judía. Debemos tomar la religión en serio, estudiar las Escrituras en privado, y asistir a los servicios en público. Debemos ayunar, orar, y dar limosna. Si hacemos todas estas cosas, sin faltar ninguna, lo lograremos. Dios nos aceptará. Seremos justificados por 'las obras que demanda la ley'".

Esa era la postura de los judíos y de los judaizantes. Pablo los describe como quienes, ignorando la justicia de Dios, procuran 'establecer la suya propia' (Romanos 10.3). Esta viene siendo la religión del hombre común desde siempre. Es la religión de la gente corriente hoy en día. En realidad es el principio que rige a todo sistema religioso o moral en el mundo, con excepción del cristianismo del Nuevo Testamento. Es popular porque es halagador. Le dice al hombre que 'si se arremanga' y se esfuerza, logrará ganar su propia salvación.

Pero esa es una terrible ilusión. Es la mentira más grande del diablo, el mayor mentiroso del mundo, a quien Jesús llamó 'padre de la mentira' (Juan 8.44). Nadie ha sido justificado jamás por las obras de la ley, por el simple hecho de que nadie jamás la ha cumplido perfectamente. Las obras de la ley, la estricta adhesión a sus exigencias, está más allá de nuestro alcance. Tal vez podamos cumplir algunos de los requerimientos de la ley en apariencia, pero ningún hombre, salvo Jesucristo, los ha cumplido cabalmente. En realidad, si miramos al interior de nuestro corazón, leemos nuestros pensamientos y examinamos nuestras motivaciones, descubrimos que hemos roto todos los mandamientos del Señor. Porque Jesús dice que los pensamientos homicidas nos hacen homicidas, y los pensamientos adúlteros nos hacen adúlteros. No es de extrañar que las Escrituras nos digan que **por las obras de la ley ... nadie será justificado** (v. 16, aludiendo al Salmo 143.2). Lo asombroso es que alguno haya imaginado que podría llegar a Dios y al cielo por ese camino.

b. Justificación por la fe

A la segunda alternativa Pablo la denomina justificación **por la fe en Jesucristo.** Jesucristo vino al mundo para vivir y morir. Su obediencia a la ley fue perfecta. En su muerte sufrió por nuestra desobediencia. En la Tierra vivió la única vida sin pecado y de obediencia a la ley que hubo jamás. En la cruz murió por nuestras infracciones, porque la pena por la desobediencia a la ley era la muerte. Por eso, lo único que se requiere de nosotros para ser justificados es que reconozcamos nuestros pecados y nuestra impotencia, nos arrepintamos de nuestros años de obstinación y autojustificación, y pongamos toda nuestra confianza y nuestra fe en Jesucristo que nos salva.

Entonces, **la fe en Jesucristo** no es solamente una convicción intelectual, es un compromiso personal. La expresión a mitad del versículo 16 es, según RVC, 'hemos creído *en* (*eis*) Jesucristo'. Es un acto de compromiso, no simplemente de afirmación del hecho de que Jesús vivió y murió, sino de correr a él en busca de refugio y suplicar su misericordia.

Estos son, en teoría, los dos medios alternativos de justificación: 'por las obras que demanda la ley' y 'por la fe en Jesucristo'. Y Pablo nos dice tres veces que para Dios el camino es el segundo, no el primero. Su enérgica triple afirmación en el versículo 16 es para no dejarnos ninguna duda acerca del asunto; como solía decir Lutero, para 'que se nos meta en la cabeza'. No obstante, la repetición no es exactamente igual ni monótona, porque hay una escala ascendente de énfasis: primero general, luego personal, y finalmente universal. *La primera afirmación es general* (v. 16a). **Al reconocer que *nadie* es justificado por las obras que demanda la ley sino por la fe en Jesucristo,** (cursivas añadidas) Pablo no tiene en mente a alguien en particular aquí; es deliberadamente impreciso. Simplemente 'nadie', ningún 'ser humano' (LP), hombre o mujer. Además dice 'sabemos' (RVC). No ofrece una opinión tentativa, sino una afirmación dogmática. Ha dedicado buena parte de los dos primeros capítulos de la epístola a defender su autoridad apostólica; ahora pone todo el peso de su autoridad en esa afirmación. Ya se había atrevido a afirmar que su evangelio 'no es invención humana' (1.11). Siendo así, su exposición del mismo en el versículo 16 no es de hombre, sino de Dios. Es más, el plural ('sabemos') significa en ese contexto que los apóstoles, tanto Pablo como Pedro, lo saben, que concuerdan en su convicción acerca del origen del evangelio.

La segunda afirmación es personal (v. 16b). No solamente sabemos sino que **también nosotros hemos puesto nuestra fe en Cristo Jesús, para ser justificados por la fe en él.** Es decir, nuestra certeza acerca del evangelio es más que puramente intelectual; la hemos probado personalmente en nuestra propia experiencia. Este es un agregado importante. Indica que Pablo está postulando una doctrina que él mismo ha puesto a prueba. **Al reconocer ..., también nosotros hemos puesto nuestra fe en Cristo Jesús** para verificarlo.

La tercera afirmación es universal (v. 16c). El principio teológico y la experiencia personal se ven confirmados ahora por las Escrituras. El apóstol remite a la categórica afirmación del Salmo 143.2 (como lo hará también en Romanos 3.20), y declara: 'no por las obras de la ley; porque por éstas nadie será justificado'. La versión griega de este versículo es más sorprendente todavía que la traducción al español. Dice 'toda carne', toda la humanidad sin excepción. No importa nuestra crianza religiosa, nuestra educación, nuestro trasfondo educativo, nuestra condición social u origen racial, el camino para la salvación es el mismo. Nadie puede ser justificado por obras de la ley; toda carne debe ser justificada por la fe en Cristo.

Es difícil hallar una afirmación más fuerte de la doctrina de la justificación que esta. La afirman los dos principales apóstoles ('sabemos', RVC), la confirman con su propia experiencia (**nosotros hemos puesto nuestra fe en Cristo Jesús**), y está respaldada por las Sagradas Escrituras del Antiguo Testamento (**por las obras de la ley ... nadie será justificado**). Con esta triple garantía deberíamos aceptar la doctrina bíblica de la justificación y no permitir que nuestra tendencia natural a la autojustificación nos aleje de la fe en Cristo.

2. La argumentación | 17–21

Por clara y contundente que sea la exposición de Pablo, fue desafiada entonces, y sigue siéndolo hoy. De modo que en estos versículos el apóstol pasa de la exposición a la argumentación. Él nos informa del argumento que usan sus críticos para intentar socavar su doctrina, y expone el que utiliza él mismo para derrocar el de ellos y afirmar el suyo propio. Veamos cómo discuten, por así decirlo.

a. El argumento de los críticos de Pablo | 17–20

Versículos 17–18: **Ahora bien, cuando buscamos ser justificados por Cristo, se hace evidente que nosotros mismos somos pecadores. ¿Quiere esto decir que Cristo está al servicio del pecado? ¡De ninguna manera! Si uno vuelve a edificar lo que antes había destruido, se**

hace transgresor. Estos no son versículos sencillos, y se han interpretado de diversas maneras. De las dos principales interpretaciones, he escogido la que parece más coherente con los demás escritos de Pablo, y en especial con la enseñanza paralela en la epístola a los Romanos. Los críticos del apóstol argumentaban lo siguiente: "Tu doctrina de la justificación solo por medio de la fe en Cristo, independiente de las obras de la ley, es una doctrina muy peligrosa. Debilita fatalmente el sentido de responsabilidad moral del hombre. Si el hombre puede ser aceptado por confiar en Cristo, sin necesidad de las buenas obras, se lo está animando a transgredir la ley, a caer en la vil herejía del 'antinomianismo'". Hoy en día hay gente que sigue razonando así: 'Si Dios justifica a las personas malas, ¿qué sentido tiene ser bueno? ¿Acaso no podríamos ser como queremos y vivir como nos plazca?'.

La primera respuesta de Pablo a sus críticos es negar esa sugerencia con ferviente indignación: **¡De ninguna manera!**, dice (v. 17). Niega especialmente la acusación agregada que lo culpaba de hacer que Cristo fuera el autor o el agente del pecado de los seres humanos. Todo lo contrario, continúa Pablo, 'me hago transgresor' (v. 18, RVC). En otras palabras, 'si después de mi justificación sigo siendo pecador, es mi culpa y no la de Cristo. La culpa es solo mía; nadie puede culparlo a él'.

Pablo pasa ahora a refutar los argumentos de sus críticos. Su acusación de que la justificación por fe estimula a seguir pecando era absurda. Entendían completamente mal la justificación por fe. No se trata de una ficción legal, en la que cambia la situación externa del hombre, mientras que su carácter queda intacto. El versículo 17 dice: 'justificados *en Cristo*' (RVC). Es decir, nuestra justificación tiene lugar cuando estamos unidos a Cristo por la fe. Y quien está unido a él jamás vuelve a ser la misma persona. En lugar de eso, va cambiando. No es solamente su situación ante Dios la que cambia: también cambia él mismo, radical y definitivamente. Hablar de volver a su antigua vida, incluso de pecar como le plazca, es francamente imposible. Se ha convertido en una nueva creación, tiene una nueva vida.

El apóstol ahora desarrolla ese asombroso cambio que acontece a la persona que ha sido justificada en Cristo. Lo describe en términos de muerte y resurrección. Dos veces, en los versículos 19 y 20, habla de morir y volver a vivir. Ambas ocurren en unión con Cristo. Lo que compartimos es la muerte y la resurrección *de Cristo*. Versículo 19:

mediante la ley he muerto a la ley (la exigencia de muerte por la ley quedó satisfecha con la muerte de Cristo), **a fin de vivir para Dios.** Versículo 20: **He sido crucificado con Cristo** (es decir, estoy unido a él en su muerte que llevó nuestro pecado; el pasado de pecado ha sido borrado), **y ya no vivo yo sino que Cristo vive en mí. Lo que ahora vivo en el cuerpo, lo vivo por la fe en el Hijo de Dios, quien me amó y dio su vida por mí.**

A lo mejor ahora se está aclarando por qué un cristiano que es 'justificado en Cristo' no es libre para pecar. En Cristo 'lo viejo ha pasado' y 'ha llegado ya lo nuevo' (2 Corintios 5.17). Esto es porque la muerte y la resurrección de Cristo no solamente son hechos históricos (Cristo **dio su vida por mí,** y ahora **vive**), sino hechos que su pueblo ha llegado a compartir por medio de la unión con él por fe (**He sido crucificado con Cristo,** y ahora **vivo por la fe en el Hijo de Dios**). Una vez que nos hemos unido a Cristo en su muerte, nuestra vida antigua ha terminado; es absurdo sugerir que alguna vez podamos volver a ella. Además, hemos resucitado a una vida nueva. En un sentido, vivimos esta nueva vida por medio de la fe en Cristo. En otro, no somos nosotros en absoluto quienes la vivimos, es él quien la vive en nosotros. Y, al vivir en nosotros, nos da un nuevo deseo de santidad, de Dios, del cielo. No significa que no podamos volver a pecar; podemos. Pero ya no queremos hacerlo. Ha cambiado completamente el tenor de nuestra vida. Ahora todo es diferente, porque uno mismo es diferente. Observemos la forma tan osadamente personal con que Pablo lo expresa: Cristo **dio su vida por *mí*,** Cristo **vive en *mí*** (cursivas añadidas). Ningún cristiano que ha captado estas verdades puede volver jamás a pensar seriamente en retomar su antigua vida de pecado.

b. El argumento de Pablo contra sus críticos | 21

Hemos visto cómo Pablo se opone al intento de sus críticos de socavar su doctrina; ahora debemos considerar cómo se dispone a derrocar la de ellos. Versículo 21: **No desecho** ('no hago nula' BA) **la gracia de Dios. Si la justicia se obtuviera mediante la ley, Cristo habría muerto en vano.** Debemos intentar captar la fuerza de este argumento. Las dos bases fundacionales de la religión cristiana son la gracia de Dios y la muerte de Cristo. La fe cristiana es la fe en el Cristo crucificado. De manera que si alguno insiste en que la salvación es por obras, y que puede ganarse la salvación con sus propios esfuerzos, está socavando las bases mismas de la religión cristiana. Está invalidando la gracia del Señor (porque si la salvación es por obras, no es por gracia) y está volviendo superflua la muerte de Cristo (porque si la salvación depende de nuestro propio esfuerzo, entonces su obra fue innecesaria).

Sin embargo hay mucha gente que, como los judaizantes, cometen precisamente ese error. Procuran conseguir la aceptación de Dios por medio de sus obras. Piensan que es noble tratar de ganarse el camino a Dios y al cielo. Pero no es noble, es terriblemente innoble. Porque, en efecto, supone negar tanto la naturaleza de Dios como la misión de Jesucristo. Es negarse a permitir su gracia. Es como decirle a Jesucristo que no se hubiera molestado en morir. Porque tanto la gracia del Señor como la muerte de Cristo se vuelven redundantes, si somos los amos de nuestro propio destino y podemos salvarnos a nosotros mismos.

Conclusión

En este párrafo parecen destacarse cuatro verdades cristianas.

Primero, la mayor necesidad del hombre es la justificación, el ser aceptados delante de Dios. Comparado con esto, todas las demás necesidades humanas palidecen hasta la insignificancia. ¿Cómo podemos estar bien con el Señor, para pasar la vida y la eternidad en su favor y su servicio?

Segundo, la justificación no es por las obras de la ley, sino por la fe en Jesucristo. Lutero lo expresa brevemente: 'Debo prestar atención al evangelio, en el cual aprendo, no lo que debería hacer (porque ese es el oficio de la Ley), sino lo que Cristo Jesús el Hijo de Dios ha hecho por mí, a saber: que padeció y murió para librarme del pecado y la muerte'.[9]

Tercero, no confiar en Jesucristo, por confiar en uno mismo, es una ofensa tanto a la gracia de Dios como a la cruz de Cristo, porque hace que ambas sean innecesarias.

Cuarto, confiar en Jesucristo, y estar en unión con él es comenzar una vida completamente nueva. Si estamos 'en Cristo', somos más que justificados; descubrimos que en realidad hemos muerto y resucitado con él. De manera que podemos decir con Pablo en el versículo 20: **He sido crucificado con Cristo, y ya no vivo yo sino que Cristo vive en mí. Lo que ahora vivo en el cuerpo, lo vivo por la fe en el Hijo de Dios, quien me amó y dio su vida por mí.**

7

La insensatez de los gálatas
Gálatas 3.1–9

[3.1]¡Gálatas torpes! ¿Quién los ha hechizado a ustedes, ante quienes Jesucristo crucificado ha sido presentado tan claramente? [2]Sólo quiero que me respondan a esto: ¿Recibieron el Espíritu por las obras que demanda la ley, o por la fe con que aceptaron el mensaje? [3]¿Tan torpes son? Después de haber comenzado con el Espíritu, ¿pretenden ahora perfeccionarse con esfuerzos humanos? [4]¿Tanto sufrir, para nada? ¡Si es que de veras fue para nada! [5]Al darles Dios su Espíritu y hacer milagros entre ustedes, ¿lo hace por las obras que demanda la ley o por la fe con que han aceptado el mensaje? [6]Así fue con Abraham: 'Le creyó a Dios, y esto se le tomó en cuenta como justicia.'

[7]Por lo tanto, sepan que los descendientes de Abraham son aquellos que viven por la fe. [8]En efecto, la Escritura, habiendo previsto que Dios justificaría por la fe a las naciones, anunció de antemano el evangelio a Abraham: 'Por medio de ti serán bendecidas todas las naciones.' [9]Así que los que viven por la fe son bendecidos junto con Abraham, el hombre de fe.

A lo largo de la mayor parte de los capítulos 1 y 2 Pablo ha estado defendiendo firmemente el origen divino de su misión y su mensaje apostólicos. Él insistía en que venían de Dios y eran independientes de los hombres.

Ahora vuelve a los gálatas, y a su infidelidad para con el evangelio debido a la influencia corruptora de los falsos maestros.

Versículo 1: ¡Gálatas torpes! Versículo 3: ¿Tan torpes son? O, como lo expresa NTV, '¡Ay gálatas tontos!... ¿Será posible que sean tan tontos?'. El alejamiento de los gálatas del evangelio no era, entonces, una forma de traición espiritual solamente (1.6), sino también un acto de insensatez. En efecto, era tan estúpido que Pablo se pregunta si algún brujo **los ha hechizado** ('¿quién los embrujó?', PDT). Su pregunta es un tanto retórica, porque conoce muy bien la actividad de los falsos maestros. Pero tal vez utiliza el singular ('quién') porque detrás de esos falsos maestros detecta la actividad del diablo mismo, el espíritu de engaño, a quien el Señor llamó 'mentiroso' y 'padre de la mentira' (Juan 8.44). Mucha de nuestra estupidez cristiana en cuanto a captar y aplicar el evangelio puede tener que ver con los hechizos del diablo.

¿Qué han hecho los gálatas que lleva a Pablo a quejarse de su falta de sentido y a preguntarles si habían sido hechizados? Habían sucumbido ante las enseñanzas de los judaizantes. Habiendo abrazado la verdad al comienzo (el pecador es justificado por gracia, en Cristo, por medio de la fe), ahora han adoptado la idea de que la circuncisión y las obras de la ley también son necesarias para la justificación.

La esencia del argumento del apóstol es que esa nueva postura está en contradicción con el evangelio. Su asombro ante la insensatez de los gálatas se debe a que el **Jesucristo crucificado ha sido presentado tan claramente** ante los propios ojos de estos. No solamente les fue presentado Cristo públicamente ante sus ojos, sino que les fue presentado 'crucificado' (un participio enfático al final de la frase griega). A lo mejor Pablo está haciendo aquí una nueva alusión a que pudieron haber sido hechizados. Parece estar preguntándose si algún brujo pudo haberlos puesto bajo el hechizo de un mal de ojo, ya que Jesucristo fue presentado como crucificado ante sus propios ojos.

Este, entonces, es el evangelio. No se trata de una enseñanza general acerca del Jesús histórico, es más bien una proclama específica de Jesucristo crucificado (1 Corintios 1. 23; 2.2). La fuerza del tiempo perfecto del participio (estaurōmenos) es que la obra de Cristo fue completada en la cruz, y que los beneficios de su crucifixión son para siempre nuevos, válidos y disponibles. Los pecadores podrán ser justificados ante Dios y por Dios, no por alguna obra propia, sino por la obra expiatoria de Cristo; no por algo que hubieran hecho o podrían hacer, sino por lo que Cristo hizo una vez, al morir. El evangelio no consiste en buenos consejos para la humanidad, sino en las buenas noticias acerca de Cristo; no es una invitación para que hagamos alguna cosa, sino una declaración de lo que el Señor ha hecho; no es un pedido, sino una oferta.

Si los gálatas hubieran captado el evangelio de Cristo crucificado, que en la cruz hizo todo lo necesario para nuestra salvación, habrían comprendido que lo único que se les pedía era que recibieran las buenas noticias con fe. Agregar las buenas obras a la obra de Cristo era un insulto a su obra terminada, como vimos en 2.21.

Ahora Pablo pone al descubierto la insensatez de los gálatas. Tendrían que haber resistido el hechizo de lo que fuera que los fascinaba. Sabían perfectamente bien que el evangelio se recibe solamente por fe, ya que su propia experiencia (vv. 2–5) y la clara enseñanza de las Escrituras (vv. 6–9) así se los decía.

1. El argumento basado en la propia experiencia de los gálatas | 2–5

Versículo 2: **Sólo quiero que me respondan a esto: ¿Recibieron el Espíritu por las obras que demanda la ley, o por la fe con que aceptaron el mensaje?** Versículo 4: **¿Tanto sufrir, para nada?** Pablo da por sentado que todos han recibido el Espíritu Santo. Su pregunta no es si lo han recibido, sino más bien si lo recibieron por las obras o por la fe (v. 2). También da por sentado que fue así como comenzó su vida cristiana (v. 3: **Después de haber comenzado con el Espíritu**). Lo que pregunta tiene que ver con cómo recibieron el Espíritu y comenzaron la vida cristiana. ¿Qué papel jugaron en el proceso?

Es importante tener en claro las posibles alternativas, que el apóstol denomina **por las obras que demanda la ley** (es decir, por obediencia a las exigencias de la ley) o por 'oír con fe' (sentido literal), es decir **por la fe con que aceptaron el mensaje**. El contraste, bosquejado ya en 2.16, es entre la ley y el evangelio. Como escribe Lutero: 'Quien … puede discernir correctamente entre la ley y el evangelio, que agradezca a Dios, y sepa que es un teólogo acertado'.[1] Esta es la diferencia entre la ley y el evangelio: la ley dice 'Debes hacer esto'; el evangelio dice: 'Cristo lo ha hecho todo'. La ley requiere obras de realización humana; el evangelio requiere fe en la obra de Cristo. La ley pone obligaciones y exige obediencia; el evangelio trae promesas y pide que creamos. De modo que la ley y el evangelio se oponen entre sí. No son dos aspectos de la misma cosa, o dos interpretaciones del mismo cristianismo. Por lo menos en la esfera de la justificación, como dice Lutero, 'establecer la ley es abolir el evangelio'.[2]

En el versículo 5 Pablo usa el mismo argumento de otra manera: ya no desde el punto de vista de quienes reciben el Espíritu, sino desde el punto de vista del Señor que da el Espíritu: Al darles Dios su Espíritu y hacer milagros entre ustedes, ¿lo hace por las obras que demanda la ley o por la fe con que han aceptado el mensaje? Los verbos 'darles' y 'hacer' no necesariamente se refieren a una actividad continua del Señor. Parece más probable que fueran atemporales, que se refieren todavía a la visita de Pablo cuando recibieron el Espíritu, pero que ahora está hablando de esa experiencia desde el punto de vista de Dios. Cuando el apóstol visitó Galacia, Dios les dio el Espíritu e hizo milagros por medio de Pablo ('las marcas distintivas de un apóstol', 2 Corintios 12.12). La pregunta es la misma: '¿Cómo hizo el Señor esas obras entre ellos?'. Y la respuesta es la misma: No 'por las obras que demanda la ley' sino 'por la fe con que aceptaron el mensaje'. Dios les dio el Espíritu (v. 5) y ellos lo recibieron (v. 2), no porque hubiesen obedecido la ley, sino porque creyeron en el evangelio.

Esto, entonces, era un hecho de su propia experiencia. Pablo había llegado a Galacia y les había predicado. Había presentado públicamente ante sus ojos a Jesucristo como crucificado. Habían escuchado el evangelio y con los ojos de la fe habían visto a Cristo exhibido sobre la cruz. Habían creído en el evangelio. Habían confiado en el Cristo expuesto en él. Gracias a eso habían recibido el Espíritu. No se habían sometido a la circuncisión, ni obedecido la ley, ni siquiera lo habían intentado. Todo cuanto habían hecho era escuchar las buenas nuevas y creer, y se les había otorgado el Espíritu. Siendo estos los hechos de su experiencia, dice el apóstol, es absurdo que **Después de haber comenzado con el Espíritu,** ahora pretendan **perfeccionarse con esfuerzos humanos.** Es otra manera de decir que, habiendo comenzado por el evangelio, no deben volver a la ley, pensando que esta es necesaria para complementar el evangelio. Hacerlo no sería una 'mejora' sino una 'degeneración'.[3]

2. El argumento basado en las Escrituras del Antiguo Testamento | 6–9

Versículo 6: Así fue con Abraham: 'Le creyó a Dios, y esto se le tomó en cuenta como justicia'. La alusión de Pablo a Abraham fue un golpe maestro. Sus opositores judaizantes consideraban a Moisés su maestro. De modo que el apóstol volvió siglos atrás hasta el mismo Abraham. Su cita es de Génesis 15.6. Quiero recordarles las circunstancias: Abraham era un hombre anciano y no tenía hijos, pero el Señor le había prometido un hijo, y en realidad una simiente, o posteridad. Un día sacó al patriarca de su tienda, le dijo que mirara al cielo y contara las estrellas, y luego le dijo: 'Así de numerosa será tu descendencia'. Abraham creyó la promesa de Dios y 'el Señor lo reconoció a él como justo'.

Consideremos cuidadosamente los hechos. Primero, Dios hizo una promesa a Abraham. En efecto, la promesa de tener descendencia fue 'anunciada' ante sus ojos, de la misma forma en que la promesa de perdón por medio de Cristo crucificado fuera 'anunciada' ante los ojos de los gálatas. Segundo, Abraham creyó al Señor. A pesar de la inherente improbabilidad del cumplimiento de la promesa desde el punto de vista humano, él se aferró de la fidelidad de Dios. Tercero, la fe de Abraham fue reconocida como justicia. Es decir, él mismo fue aceptado como justo, por fe. No fue justificado por haber hecho algo que lo merecía, o por haber sido circuncidado, o por haber cumplido la ley (porque ni el mandato de la circuncisión ni la ley les habían sido dadas todavía), sino simplemente porque creyó a Dios.

Es con esta promesa del Señor a Abraham que Pablo vincula otra promesa anterior. **Versículos 7–9: Por lo tanto, sepan que los descendientes de Abraham son aquellos que viven por la fe. En efecto, la Escritura, habiendo previsto que Dios justificaría por la fe a las naciones, anunció de antemano el evangelio a Abraham: 'Por medio de ti serán bendecidas todas las naciones'. Así que los que viven por la fe son bendecidos junto con Abraham, el hombre de fe.** Aquí el apóstol está citando Génesis 12.3 (ver Génesis 22.17, 18; Hechos 3.25). Debemos analizar en qué consiste esa bendición, y cómo llegarían a heredarla todas las naciones. La bendición es la justificación, la más grande de las bendiciones, ya que los verbos 'justificar' y 'bendecir' se usan como equivalentes en el versículo 8. Y el medio por el que esa bendición sería heredada es la fe ('Dios justificaría por la fe a las naciones'), que era la única manera en que los gentiles podrían heredar la bendición de Abraham, ya que él era el padre de la raza judía. A lo mejor los judaizantes estaban diciéndoles a los convertidos gálatas que debían convertirse en hijos de Abraham por medio de la circuncisión. Pablo entonces responde diciendo que los gálatas ya son hijos del patriarca, no por la circuncisión, sino por la fe.

Los versículos 7 y 9 afirman que los verdaderos hijos de Abraham (quienes heredan la bendición prometida a su simiente) no son su posteridad por la descendencia física, los judíos, sino su progenie espiritual, los hombres y las mujeres que comparten su fe, es decir los creyentes cristianos.

Los gálatas, dice el apóstol, deberían haber sabido todo esto. Jamás deberían haber sido tan insensatos. Jamás deberían haber caído bajo el hechizo de esos falsos maestros. En realidad, eso no hubiera ocurrido si hubieran mantenido la vista en el Cristo crucificado. Hubieran comprendido inmediatamente que los judaizantes estaban contradiciendo el evangelio de la justificación por la fe sola. Lo tendrían que haber sabido, como hemos visto, por su propia experiencia y por las Escrituras del Antiguo Testamento.

Nosotros también deberíamos aprender a examinar cada teoría y cada enseñanza de los hombres a la luz del evangelio del Cristo crucificado, especialmente como lo conocemos por las Escrituras y por nuestra propia experiencia.

Conclusión

a. Qué es el evangelio

El evangelio es Cristo crucificado, su obra acabada en la cruz. Y predicarlo es presentar públicamente a Cristo crucificado. El evangelio no consiste en buenas noticias acerca de un bebé en un pesebre, ni de un joven frente al banco de carpintero, ni de un predicador en las colinas de Galilea, ni siquiera de un sepulcro vacío. El evangelio consiste en Cristo sobre su cruz. Solo cuando 'se expone abiertamente a Cristo sobre su cruz' (NEB) es que se predica el evangelio. Este verbo, del griego *prographein*, significa 'mostrar o presentar públicamente, exhibir o anunciar en público' (Arndt-Gingrich). Se utilizaba para los edictos, leyes y proclamas públicas, que se colocaban en algún lugar abierto para informar; también para referirse a cuadros y retratos.

Esto significa que al predicar el evangelio debemos referirnos a un hecho (la muerte de Cristo en la cruz), exponer una doctrina (el participio perfecto de 'crucificado' indicando los efectos perdurables de la obra acabada de Cristo), y hacerlo pública, audaz y vívidamente, para que la gente lo vea como si lo estuviera presenciando directamente. Esto es lo que algunos autores han llamado el 'elemento existencial' en la predicación. Es algo más que describir la cruz como un hecho del primer siglo. En realidad presentamos a Cristo crucificado ante los ojos de nuestros contemporáneos, para que se enfrenten a Cristo crucificado hoy y comprendan que pueden recibir de la cruz la salvación de Dios hoy.

b. Qué ofrece el evangelio

Tomando como base la cruz de Cristo, el evangelio ofrece una gran bendición. Versículo 8: **Por medio de ti serán bendecidas todas las naciones.** ¿Qué es esto? Es una doble bendición. La primera parte es la justificación (v. 8) y la segunda es el don del Espíritu (vv. 2–5). Es con estos dos dones que Dios bendice a todos los que están en Cristo. Nos justifica, aceptándonos como justos ante su vista, y pone su Espíritu en nosotros. Lo que es más, nunca otorga uno de los dones sin el otro. Todo el que recibe el Espíritu está justificado, y todo el que es justificado recibe el Espíritu. Es importante notar esta doble bendición inicial, ya que diversas personas hoy en día enseñan una doctrina de la salvación en dos etapas: que somos justificados al comienzo y recién en una etapa posterior recibimos el Espíritu.

c. Qué exige el evangelio

El evangelio ofrece bendiciones. ¿Qué debemos hacer para recibirlas? La respuesta correcta es '¡nada!'. No debemos hacer nada. Solo debemos creer. Nuestra respuesta no son 'las obras que demanda la ley' sino 'oír con fe', es decir, no con obediencia a la ley, sino creyendo el evangelio. Porque obedecer es intentar hacer por nosotros mismos la obra de salvación, mientras que creer es permitir que Cristo sea nuestro Salvador y descansar en su obra acabada. De modo que Pablo hace hincapié en que recibimos el Espíritu por fe (vv. 2-5) y somos justificados por fe (v. 8). En efecto, el sustantivo 'fe' y el verbo 'creer' aparecen siete veces en este breve párrafo (1-9).

Ese es el verdadero evangelio, el evangelio del Antiguo y del Nuevo Testamento, el evangelio que Dios mismo comenzó a predicar a Abraham (v. 8), y que el apóstol Pablo continuó predicando en su tiempo. Es la presentación ante los ojos de los hombres de Jesucristo crucificado. Sobre esa base ofrece la justificación y el don del Espíritu. Y su única exigencia es la fe.

8

La alternativa entre la fe y las obras
Gálatas 3.10–14

3.10 Todos los que viven por las obras que demanda la ley están bajo maldición, porque está escrito: 'Maldito sea quien no practique fielmente todo lo que está escrito en el libro de la ley.' **11**Ahora bien, es evidente que por la ley nadie es justificado delante de Dios, porque 'el justo vivirá por la fe.' **12**La ley no se basa en la fe; por el contrario, 'quien practique estas cosas vivirá por ellas'. **13**Cristo nos rescató de la maldición de la ley al hacerse maldición por nosotros, pues está escrito: 'Maldito todo el que es colgado de un madero.' **14**Así sucedió, para que, por medio de Cristo Jesús, la bendición prometida a Abraham llegara a las naciones, y para que por la fe recibiéramos el Espíritu según la promesa.

Estos versículos pueden parecer difíciles tanto en su vocabulario como en el concepto que expresa; sin embargo, son fundamentales para la comprensión del cristianismo bíblico. Tienen que ver con el tema central de la religión, que es cómo mantener una relación correcta con Dios. Esa condición se describe de dos maneras. Primero, se la denomina ser **justificado delante de Dios** (v. 11). Este estado es exactamente lo opuesto a ser condenado delante de él. Es ser declarado justo, ser aceptado, estar bajo el favor y la sonrisa del Señor. Es evidente que es un asunto de suma importancia. Los seres humanos tenemos un deseo instintivo de tener el favor de nuestros congéneres, amigos entre amigos, niños con sus padres, un empleado con su jefe.

De manera similar, aunque por naturaleza estamos en rebelión con Dios, seguimos anhelando estar en buenas relaciones con él.

La segunda descripción de una persona que halla al Señor es la siguiente: **vivirá** (vv. 11– 12) o 'alcanzará la vida' (LP). Por supuesto, la vida a la que se refiere aquí no es física ni biológica, sino espiritual y eterna, no la vida de esta era, sino la vida de la era venidera. La definición más sencilla de la vida eterna que aparece en la Biblia la expresó el propio Jesucristo: 'Y esta es la vida eterna: que te conozcan a ti, el único Dios verdadero, y a Jesucristo, a quien tú has enviado' (Juan 17.3).

Así es que 'justificación' significa tener el favor de Dios; 'vida eterna' significa estar en comunión con él. Ambas están íntimamente ligadas, en realidad indisolublemente relacionadas. No podemos tener comunión con el Señor antes de tener su favor; y una vez que tenemos su favor, se nos asegura también la comunión con él.

La pregunta que se nos presenta ahora es: ¿De qué manera puede un hombre tener el favor y la comunión con Dios? En palabras de Pablo, ¿cómo puede un pecador ser justificado y recibir la vida eterna? Estos versículos nos dan la respuesta de manera clara e inequívoca. Comenzaremos presentando las dos respuestas alternativas que los hombres han dado a esa pregunta. Veremos luego que una es falsa y la otra verdadera.

1. Las dos alternativas | 11–12

El apóstol cita dos veces el Antiguo Testamento: **el justo vivirá por la fe** (v. 11), y **quien practique estas cosas** (es decir, las obras de la ley) **vivirá por ellas** (v. 12). Debemos prestar atención a esas dos afirmaciones. Ambas provienen de las Escrituras del Antiguo Testamento, la primera de los profetas (Habacuc 2.4), la segunda de la ley (Levítico 18.5). Vemos entonces que ambas son palabras del Dios vivo. Ambas hablan de alguien que vivirá. En otras palabras, ambas prometen la vida eterna.

No obstante, a pesar de estas características en común, las dos afirmaciones describen un camino diferente para la vida. La primera promete vida al que cree, la segunda al que hace. La primera hace de la fe el camino a la salvación; la segunda, lo hace de las obras. La primera dice que solo Dios puede justificar (porque la función de la fe consiste en confiar en que el Señor hace la obra); la segunda supone que podemos arreglarnos por nuestra cuenta.

Estas son las dos alternativas. ¿Cuál es la verdadera? ¿Es el hombre justificado por la ley o por la fe? ¿Es la salvación total y únicamente por la libre gracia de Dios en Jesucristo, o debemos poner algo de nuestra parte? ¿Por qué la Biblia parece aquí confusa, y da la impresión de enseñar que ambas alternativas valen, cuando se nos presentan como contradictorias?

2. La alternativa de las obras | 10

Todos los que viven por las obras que demanda la ley están bajo maldición, porque está escrito: 'Maldito sea quien no practique fielmente todo lo que está escrito en el libro de la ley.' Esta es otra cita más, tomada del Antiguo Testamento (Deuteronomio 27.26), porque el apóstol se esfuerza por mostrar, como le diría más tarde al rey Agripa, que no enseñaba nada 'sino lo que los profetas y Moisés ya dijeron que sucedería' (Hechos 26.22). En este versículo de Deuteronomio se pronuncia una grave maldición sobre todo el que no cumpla con los mandamientos de la ley. Es cierto que la palabra 'todo', que aparece en la cita del versículo 10, parece trasladada a Deuteronomio 27.26 del versículo siguiente (28.1), pero eso no le cambia el sentido.

A nuestros oídos modernos y sensibles, esas palabras suenan crudas, y hasta duras. Nos gusta pensar en un Dios que bendice más que en un Dios que maldice. Algunas personas han intentado esquivar el dilema señalando que Pablo no escribe sobre la maldición del Señor sino sobre 'la maldición de la ley' (v. 13). No obstante, es muy dudoso que los autores bíblicos hubieran hecho esa distinción. La ley jamás podía estar separada de Dios, porque la ley es la ley de Dios, la expresión de su naturaleza moral y su voluntad. Lo que dice la ley, lo dice el Señor; lo que la ley bendice, él lo bendice; y lo que la ley maldice, es porque Dios lo maldice.

En realidad, no hay ninguna necesidad de sentirse incómodo por esas afirmaciones tan francas. Expresan lo que las Escrituras nos dicen en todas partes sobre el Señor en relación con el pecado, es decir, que ningún hombre puede pecar sin impunidad, porque él no es ningún Papá Noel viejo y sentimental, sino el Juez justo de todo ser humano. La desobediencia siempre nos pone bajo la maldición de Dios, y nos expone a las terribles penalidades de su juicio, porque 'maldecir' no significa 'denunciar' sino en realidad 'rechazar'. De manera que si la bendición de Dios trae justificación y vida, su maldición trae condenación y muerte.

Esta es la situación en la que está todo ser humano que jamás haya vivido, salvo Jesucristo. Aquí Pablo sobreentiende la universalidad del pecado; analiza esta realidad en los primeros capítulos de la epístola a los Romanos. Eso incluye a personas rectas y respetables que creen que están excluidas. El doctor Alan Cole comenta que era a los *am haaretz* (es decir, la gente común que no tenía la ley) a quienes los judíos consideraban bajo la maldición de Dios[1]. Pero aquí el apóstol impacta a los judaizantes al afirmar que las personas que están bajo la maldición de Dios no son solamente los ignorantes y anárquicos gentiles, como ellos imaginan, sino también los judíos. Como escribe en Romanos: 'De hecho, no hay distinción [es decir, entre judíos y gentiles], pues todos han pecado y están privados de la gloria de Dios' (Romanos 3.22–23).

Esto lo sabemos por nuestra propia experiencia. Juan define el pecado como 'transgresión de la Ley' (1 Juan 3.4), desprecio por la ley de Dios. Todos nosotros somos infractores, porque no hemos amado al Señor con todo nuestro ser, ni a nuestro prójimo como a nosotros mismos. Además, habiendo quebrantado la ley de Dios, nos hemos puesto bajo la maldición de la ley, que es la maldición del Señor. Esto es así para todos los seres humanos, no solamente los irreligiosos o inmorales, sino también para los judíos descendientes de Abraham que fueron circuncidados y entraban en el pacto con Dios. Así es, y (para aplicarlo a nosotros hoy en día) incluye también a hombres y mujeres de iglesia bautizados: **Maldito sea quien no practique fielmente todo lo que está escrito en el libro de la ley** (v. 10).

Es por eso que nadie puede ser justificado delante de Dios por las obras de la ley. Es muy cierto, como axioma, que 'quien practique estas cosas vivirá por ellas' (v. 12). Pero nadie jamás las ha cumplido; en consecuencia, nadie puede vivir por ellas. Como nadie ha cumplido la ley (excepto Jesús), Pablo tiene que escribir que **todos los que viven por las obras que demanda la ley están bajo maldición** (v. 10). La tremenda función de la ley es condenar, no justificar. Podemos luchar y esforzarnos por mantener la ley, hacer buenas obras y hacer buenos trabajos en la comunidad o en la iglesia, pero nada de eso nos puede librar de la maldición de la ley que pesa sobre el infractor.

De manera que este supuesto primer camino a Dios en realidad lleva a un punto muerto. Por ese lado no hay ni justificación ni vida, sino solamente oscuridad y muerte. No podemos dejar de concluir, como lo hace el apóstol: 'Es evidente que por la ley nadie es justificado delante de Dios' (v. 11a).

3. La alternativa de la fe | 13–14

Esta segunda alternativa introduce a Jesucristo. Nos dice que él ha hecho en la cruz lo que no pudimos hacer por nuestra cuenta. La única manera de escapar a la maldición no es por nuestras obras, sino por la suya. Él nos ha redimido, nos ha rescatado, nos ha librado de la terrible condición de esclavitud en que nos había puesto la maldición de la ley. Versículo 13: **Cristo nos rescató de la maldición de la ley al hacerse maldición por nosotros.** Estas son palabras asombrosas. Como lo expresó el obispo anglicano Blunt: 'El lenguaje aquí es increíble, casi aterrador. No deberíamos habernos atrevido a usarlo. Sin embargo, eso es precisamente lo que Pablo quiere decir'.[2] En el contexto, que es donde se debe leer, la frase puede significar solo una cosa, ya que la 'maldición' de los versículos 10 y 13 es sin lugar a dudas la misma. La **maldición de la ley**, de la que Cristo nos redimió, es la maldición que pesa sobre nosotros por nuestra desobediencia (v. 10). Y Jesucristo nos redimió de ella **al hacerse maldición** él mismo. La maldición fue transferida de nosotros a él. La tomó voluntariamente sobre sí mismo, para librarnos de ella. Es este **hacerse maldición por nosotros** lo que explica el terrible grito de desamparo, de abandono de Dios, que profirió Jesús desde la cruz.

Pablo agrega ahora una confirmación tomada de las Escrituras en cuanto a lo que acaba de decir acerca de la cruz. Cita Deuteronomio 21.23: **pues está escrito: 'Maldito todo el que es colgado de un madero'** (v. 13b). Todo criminal sentenciado a muerte y ejecutado bajo la ley mosaica (generalmente por apedreamiento) era atado luego a un poste o se lo colgaba de un madero, como símbolo de su rechazo por parte de Dios. El doctor Cole dice que la cita no significa '... que un hombre era maldito por Dios porque estuviera colgado, sino que la muerte en una cruz era la señal visible en Israel de que un hombre era maldito.'[3] El hecho de que los romanos ejecutaban por crucifixión en lugar de ahorcamiento no hace diferencia. Ser clavado en una cruz equivalía a ser colgado de un madero. De manera que a Cristo crucificado se lo describió como **colgado de un madero** (también, por ejemplo, en Hechos 5.30 y en 1 Pedro 2.24), y se entendía que había muerto bajo la maldición divina. No es de extrañar que al principio los judíos no pudieran creer que Jesús era el Cristo. ¿Cómo podía Cristo, el ungido de Dios, colgar de un madero en lugar de reinar desde un trono? Para ellos era imposible. A lo mejor, como señala Stephen Neill,[4] cuando se predicaba al Cristo crucificado, los judíos gritaban '¡Jesús es maldito!' que equivale a la terrible expresión que aparece en 1 Corintios 12.3.

El hecho de que Jesús murió colgado de un madero continuaba siendo para los judíos un obstáculo insuperable para la fe, hasta que veían que la maldición que Jesús llevaba era por ellos. Él no murió por sus propios pecados; se hizo **maldición por nosotros.**

¿Significa esto que todo el mundo ha sido redimido de la maldición de la ley por medio de la cruz de Cristo que llevó el pecado y la maldición? En realidad no, porque el versículo 13 no se debe leer sin el 14, donde dice que Cristo se hizo maldición por nosotros **para que, por medio de Cristo Jesús, la bendición prometida a Abraham llegara a las naciones, y para que por la fe recibiéramos el Espíritu según la promesa.** Fue en Cristo que Dios actuó para nuestra salvación, de modo que debemos estar en Cristo para recibirla. No somos salvos por medio de un Cristo distante, que murió cientos de años atrás y vivió a millones de kilómetros de distancia, sino por un Cristo vivo, que, habiendo muerto y resucitado, es ahora nuestro contemporáneo. Gracias a eso hoy podemos estar 'en él', personal y vitalmente unidos a él.

Pero ¿cómo se hace esto? Sabiendo que llevó nuestra maldición, y que debemos estar 'en él' para ser rescatados de la misma, ¿cómo podemos llegar a estar unidos a él? La respuesta es 'por fe'. Pablo ya ha citado a Habacuc: 'el justo vivirá *por la fe*' (v. 11, cursivas añadidas). Ahora lo dice él mismo: **para que *por la fe* recibiéramos el Espíritu según la promesa** (v. 14, cursivas añadidas).

La fe consiste en aferrarse a Cristo personalmente. No hay mérito en ello. No es alguna 'obra'. El valor no está en nuestro acto, sino en su objeto, Jesucristo. Como lo expresó Lutero: 'La fe. . . no se aferra a otra cosa que a la preciosa joya que es Jesucristo'.[5] Cristo es el Pan de vida; la fe se nutre de él. Cristo fue suspendido en la cruz; es ahí donde la fe lo contempla.

Conclusión

Pablo nos presenta las dos alternativas en el más agudo contraste. Nos habla de dos destinos, y de dos caminos posibles para alcanzarlos. Habla como si fuera un Moisés del Nuevo Testamento, porque Moisés dijo: 'Te he dado a elegir entre la vida y la muerte, entre la bendición y la maldición' (Deuteronomio 30.19).

a. Los dos destinos

Como lo hizo Moisés, Pablo designa a los dos posibles destinos del hombre como 'bendición' y 'maldición'. Es muy llamativo verlos en contraste en los versículos 13 y 14, donde está escrito que Cristo se hizo maldición por nosotros para que pudiéramos heredar la bendición. Hasta ahora nos hemos concentrado en la maldición; pero ¿qué es la bendición? Se la describe como **la bendición prometida a Abraham** (v. 14), en parte porque es la bendición que Abraham mismo recibió cuando creyó, y en parte porque Dios le dijo 'te bendeciré . . . ¡por medio de ti serán bendecidas todas las familias de la tierra!' (Génesis 12.2–3). Como aclara el apóstol en estos versículos, la bendición prometida incluye la justificación (ser puestos bajo el favor de Dios), la vida eterna (entrar en comunión con Dios) y que recibiéramos **el Espíritu según la promesa** (ser regenerados, y habitados por el Espíritu). Esta es la inestimable bendición triple del creyente cristiano.

b. Los dos caminos

¿Por qué caminos alcanzamos respectivamente **la maldición y la bendición**? El primer camino se llama **la ley**; los que lo transitan son **todos los que viven por las obras que demanda la ley están bajo maldición** (v. 10). El segundo camino es **la fe**; quienes lo transitan son los que 'viven por la fe' (vv. 7, 9); ellos heredan **la bendición**. El primer grupo confía en sus propias obras, el segundo en la obra acabada de Cristo.

El desafío en este pasaje es sencillo. Debemos renunciar a la orgullosa insensatez de suponer que podemos alcanzar nuestra propia justicia o hacernos aceptables ante Dios. En lugar de eso debemos acudir humildemente a la cruz, donde Cristo llevó nuestra maldición, y arrojarnos íntegramente en su misericordia. Entonces, por la pura gracia del Señor, porque estamos en Cristo por fe, recibiremos la justificación, la vida eterna y la presencia del Espíritu en nosotros. Y será nuestra **la bendición prometida a Abraham.**

9

Abraham, Moisés y Cristo
Gálatas 3.15–22

^{3.15}Hermanos, voy a ponerles un ejemplo: aun en el caso de un pacto humano, nadie puede anularlo ni añadirle nada una vez que ha sido ratificado. ¹⁶Ahora bien, las promesas se le hicieron a Abraham y a su descendencia. La Escritura no dice: 'y a los descendientes', como refiriéndose a muchos, sino: 'y a tu descendencia', dando a entender uno solo, que es Cristo. ¹⁷Lo que quiero decir es esto: La ley, que vino cuatrocientos treinta años después, no anula el pacto que Dios había ratificado previamente; de haber sido así, quedaría sin efecto la promesa. ¹⁸Si la herencia se basa en la ley, ya no se basa en la promesa; pero Dios se la concedió gratuitamente a Abraham mediante una promesa.

¹⁹Entonces, ¿cuál era el propósito de la ley? Fue añadida por causa de las transgresiones hasta que viniera la descendencia a la cual se hizo la promesa. La ley se promulgó por medio de ángeles, por conducto de un mediador. ²⁰Ahora bien, no hace falta mediador si hay una sola parte, y sin embargo Dios es uno solo.

²¹Si esto es así, ¿estará la ley en contra de las promesas de Dios? ¡De ninguna manera! Si se hubiera promulgado una ley capaz de dar vida, entonces sí que la justicia se basaría en la ley. ²²Pero la Escritura declara que todo el mundo es prisionero del pecado, para que mediante la fe en Jesucristo lo prometido se les conceda a los que creen.

El apóstol Pablo continúa exponiendo 'la integridad del evangelio', a saber, que la salvación es un regalo gratuito de Dios, que se recibe por la fe en Cristo crucificado, con independencia de cualquier mérito humano. Hace hincapié en esto porque los judaizantes no podían aceptar el principio de la *sola fides*, la 'sola fe'. Insistían en que los hombres tenían que contribuir con algo para su salvación. De manera que agregaban a la fe en Jesús 'las obras que demanda la ley' como otro elemento esencial para la aceptación del Señor.

La manera en que Pablo recalca el plan de Dios de una salvación gratuita es a partir del Antiguo Testamento. Para poder entender su argumento, y sentir toda su fuerza, tenemos que captar tanto la historia como la teología que hay detrás de su razonamiento.

a. La historia

El apóstol nos remonta hacia atrás, hasta alrededor del 2000 a. C., a Abraham, y luego hasta Moisés que vivió algunos siglos después. Aquí no se menciona a Moisés, pero él es sin duda alguna el **mediador** (v. 19) a través de quien fue dada la ley.

Recordemos esta parte de la historia del Antiguo Testamento. Dios llamó a Abraham de Ur de los Caldeos. Le prometió una **descendencia** (o posteridad) innumerable, que a él y a su descendencia les otorgaría una Tierra, y que en su simiente serían bendecidas todas las familias de la Tierra. Estas grandes promesas del Señor al patriarca fueron confirmadas a su hijo Isaac, y luego al hijo de Isaac, Jacob. Pero Jacob murió fuera de la tierra prometida, en el exilio, en Egipto, a donde lo había arrastrado la hambruna de Canaán. Sus doce hijos también murieron en el exilio. Pasaron siglos. Se menciona un período de 430 años (v. 17), que no se refiere al tiempo entre Abraham y Moisés, sino a la duración de la esclavitud en Egipto (Éxodo 12.40; ver Génesis 15.13; Hechos 7.6). Finalmente, siglos después de Abraham, Dios levantó a Moisés, y por medio de él liberó a los israelitas de la esclavitud y les dio la ley en el monte Sinaí. Esta es, brevemente, la historia que vincula a Moisés con Abraham.

b. La teología

La relación de Dios con Abraham y Moisés se basaba en dos principios diferentes. A Abraham le dio una promesa: 'te mostraré' una tierra, 'te bendeciré' (Génesis 12.1–2). En cambio a Moisés le dio la ley que se resume en los Diez Mandamientos. 'Estas dos cosas (como repito con frecuencia —comenta Lutero— a saber, la ley y la promesa, deben distinguirse cuidadosamente, porque en cuanto a tiempo, lugar y persona, y en general en todos los aspectos, están tan alejadas entre sí como el cielo de la Tierra ...' [1]. Y nuevamente: 'A menos que el evangelio se diferencie claramente de la ley, la verdadera doctrina cristiana no se podrá mantener sana e incorrupta'[2]. ¿Cuál es la diferencia entre ellas? En la promesa a Abraham, Dios dijo, '(yo) te mostraré ... (yo) te bendeciré ... (yo) haré famoso tu nombre ...'. Pero en la ley de Moisés, Dios dijo: '(tú) harás esto ... (tú) no harás aquello ...'. La promesa presenta una religión de Dios: su plan, su gracia, su iniciativa. En cambio la ley presenta una religión del hombre: el deber del hombre, sus obras, su responsabilidad. La promesa (que representa la gracia del Señor) solo requiere que se la crea. En cambio la ley (que representa las obras de los hombres) tiene que ser obedecida. La relación de Dios con Abraham estaba en la categoría de las promesas, la gracia y la fe. En cambio la relación del Señor con Moisés estaba en la categoría de la ley, los mandamientos y las obras.

La conclusión a la que Pablo nos está llevando es que la religión cristiana es la religión de Abraham y no la de Moisés; una religión de promesa y no de ley, y que los cristianos siguen disfrutando hoy de la promesa que Dios hizo a Abraham siglos atrás. Pero el pasaje, luego de comparar estos dos tipos de religión, nos muestra también la relación entre ellas. Después de todo, ¡el Dios que dio la promesa a Abraham y el que dio la ley a Moisés es el mismo Dios! Algunos comentaristas dicen que este es el significado de la enigmática expresión **Dios es uno solo** (v. 20), es decir, que el de Abraham y el de Moisés son uno y el mismo Dios. Sencillamente no podemos enfrentar entre sí a Abraham y Moisés, la promesa y la ley, ni aceptar a uno y rechazar al otro. Si el Señor es el autor de ambos, seguramente tiene un propósito para los dos. ¿Cuál es, entonces, la relación entre ambos?

El apóstol divide el tema en dos partes. Los versículos 15–18 están expresados de manera negativa, y enseñan que la ley no anuló la promesa de Dios. Los versículos 19–22 de forma positiva, y enseñan que la ley iluminó la promesa de Dios y efectivamente la hizo indispensable.

Pablo refuerza la primera parte con un ejemplo tomado de una situación humana, y la segunda respondiendo a dos preguntas.

1. La ley no anula la promesa de Dios | 15–18

El apóstol comienza el párrafo (v. 15) diciendo: **Hermanos, voy a ponerles un ejemplo.** O mejor: 'el siguiente es un ejemplo de la vida diaria' (NTV). Este ejemplo está tomado de la esfera de las promesas humanas, no de un contrato comercial sino de un testamento, lo que a veces llamamos 'última voluntad' de una persona. La palabra griega en los versículos 15 y 17 (*diathēkē*) se traduce **pacto** porque es la que se usa en la Septuaginta para los pactos de Dios. Pero en el griego clásico y los papiros era de uso común para significar un testamento (ver Hebreos 9.15–17, donde las ideas de pacto y testamento también aparecen relacionadas entre sí).

De cualquier manera, lo que Pablo quiere mostrar es que los deseos y las promesas que se expresan en un pacto o testamento son inalterables. Es verdad que en la ley romana (como probablemente en otros sistemas hoy en día) un hombre puede cambiar su testamento, ya sea haciendo uno nuevo o agregando codicilos. Por ese motivo, el apóstol puede estar refiriéndose a la antigua ley griega en la que un testamento, una vez formalizado y ratificado, no podía ser revocado ni modificado. A lo mejor está diciendo que no puede ser alterado ni anulado por otra persona. Con seguridad no puede ser modificado por nadie después de que el testador ha fallecido. Cualquiera sea el trasfondo legal preciso, es un argumento del tipo *a fortiori*, es decir, que si el testamento *humano* no se puede anular ni modificar, mucho menos las promesas inmutables de *Dios*.

¿A qué promesa divina se está refiriendo Pablo? El Señor prometió una herencia a Abraham y su descendencia. El apóstol sabía perfectamente bien que la alusión inmediata y literal de la promesa era la tierra de Canaán, la que Dios daría a los descendientes biológicos de Abraham. Pero también sabía que eso no agotaba todo su sentido; ni era la referencia fundamental en la mente del Señor. En realidad no podía serlo, porque él dijo que en la simiente de Abraham serían bendecidas todas las familias de la Tierra, y ¿cómo podría ser bendecido todo el mundo por medio de unos judíos que vivían en la tierra de

Canaán? Pablo reconocía que tanto la 'tierra' que se había prometido, como la 'descendencia' a quien se la había prometido, eran en definitiva espirituales. El propósito de Dios no era simplemente dar la tierra de Canaán a los judíos, sino dar la salvación (una herencia espiritual) a los creyentes que están en Cristo. Además, argumenta el apóstol, esa verdad estaba implícita en la expresión que usa el Señor, que no era el plural 'hijos' o 'descendientes', sino el singular **descendencia** o 'posteridad', un sustantivo colectivo que hace referencia a Cristo y a todos los que están en él por la fe (v. 16).

Esa era la promesa de Dios. Era libre e incondicional. Como diríamos ahora, era 'sin compromisos'. No había que hacer obras, ni obedecer leyes, ni lograr méritos ni cumplir condiciones. Dios simplemente dijo: 'Te daré descendencia. A tu descendencia le daré la tierra, y en tu descendencia serán bendecidas todas las naciones de la tierra'. Su promesa era como un testamento, la entrega gratuita de la herencia a una generación futura. Y al igual que un testamento humano, esta promesa divina es inalterable. Sigue en vigencia hoy día, porque nunca ha sido revocada. El Señor no hace promesas con la intención de romperlas. Jamás ha anulado o modificado su testamento.

Ahora estamos en condiciones de considerar el versículo 17: **Lo que quiero decir es esto: La ley, que vino cuatrocientos treinta años después, no anula el pacto que Dios había ratificado previamente; de haber sido así, quedaría sin efecto la promesa.** Si los judaizantes estaban en lo cierto, nuestra herencia cristiana (la justificación) se da a quienes cumplen con la ley; y si es 'por la ley, ya no es por la promesa', porque no se puede tener las dos cosas. **Pero Dios se la concedió gratuitamente a Abraham mediante una promesa** (v. 18). La palabra griega *kecharistai* pone énfasis en que es un regalo gratuito (un regalo de *charis*, gracia) y que ha sido dado definitivamente (tiempo perfecto). Dios no se ha echado atrás de su promesa. Es tan vinculante como el testamento de un hombre; en realidad, todavía más. De modo que todo pecador que confíe en Cristo crucificado para salvación, con total independencia de cualquier mérito o buena obra, recibe la bendición de la vida eterna y hereda la promesa que el Señor le hizo a Abraham.

2. La ley ilumina la promesa de Dios y la torna indispensable | 19–22

Ahora Pablo explica la verdadera función de la ley de Dios en relación con su promesa, formulando y respondiendo dos preguntas.

Primera pregunta: '¿Cuál era el propósito de la ley?' | 19–20

Casi se puede oír la indignada protesta de uno de los judaizantes, diciendo algo así como: "¡Realmente, Pablo, eres el colmo! Si es por la fe solamente que un hombre está en Cristo y se hace beneficiario de la promesa de Dios a Abraham, ¿qué sentido tiene la ley? ¡Tu teología fusiona tanto a Abraham con Cristo que termina expulsando a Moisés y a la ley completamente! No hay lugar para la ley en tu teología. Eres un sujeto turbulento y vil, y tu mensaje se parece mucho a la blasfemia. Estás 'por todas partes enseñando a toda la gente contra … nuestra ley'" (Hechos 21.28).

Pero el apóstol tenía preparada su respuesta. Los judaizantes habían entendido e interpretado mal su posición. Él estaba lejos de declarar que la ley era innecesaria, porque tenía muy en claro que jugaba un papel esencial en los propósitos de Dios. No obstante, el propósito de la ley no era otorgar salvación, sino convencer a los hombres de que la necesitaban. Para citar a Andrew Jukes: 'Satanás querría que nos demostrásemos santos frente a la ley, la que en realidad Dios nos dio para mostrarnos que somos pecadores'.

La declaración del apóstol sobre el propósito de la ley aparece en el versículo 19: **¿Cuál era el propósito de la ley? Fue añadida por causa de las transgresiones.** Desarrolla este concepto en la epístola a los Romanos: 'mediante la ley cobramos conciencia del pecado' (3.20); 'donde no hay ley, tampoco hay transgresión' (4.15); 'si no fuera por la ley, no me habría dado cuenta de lo que es el pecado' (7.7). De modo que el objetivo principal de la ley era exponer el pecado. Es la ley la que convierte el 'pecado' en 'transgresión', exponiendo lo que realmente es, la violación de la santa ley de Dios. 'Fue añadida para que la maldad sea un delito' (v. 19, NEB). Su objetivo era exponer la pecaminosidad del pecado como rebelión contra la voluntad y la autoridad del Señor. **Fue añadida … hasta que viniera la descendencia a la cual se hizo la promesa** (v. 19). Así, la ley veía a Cristo, la descendencia de Abraham, como la Persona por medio de la cual se perdonarían las transgresiones.

El resto del versículo 19 y el versículo 20 son considerados difíciles. Se los ha interpretado de diversas maneras. El apóstol probablemente esté haciendo hincapié en la inferioridad de la ley frente al evangelio. Escribe: **La ley se promulgó por medio de ángeles, por conducto de un mediador** (v. 19b). La actividad de los ángeles en relación con la entrega de la ley se menciona en Deuteronomio 33.2, Salmos 68.17 y Hebreos 2.2. El 'mediador' es sin duda Moisés. De manera que cuando Dios dio la ley habló a través de ángeles y de Moisés. Hubo dos mediadores (en la pluma de Lightfoot 'una doble interposición, una doble mediación, entre el dador y el receptor'[3]). Pero cuando Dios habló a Abraham lo hizo directamente, y ese probablemente es el sentido de la frase **Dios es uno solo** (v. 20). Podemos resumirlo en las palabras del obispo Stephen Neill: 'La promesa vino a Abraham de primera mano de parte de Dios; mientas que la ley llegó a las personas de *tercera mano*: Dios—los ángeles—Moisés el mediador—las personas'.[4]

Segunda Pregunta:
'¿Estará la ley en contra de las promesas de Dios?' | 21–22

Esta segunda pregunta difiere de la primera en que no parece estar dirigida a Pablo de parte de los judaizantes, sino a los judaizantes de parte de Pablo. Los está acusando de hacer precisamente eso, de hacer que la ley contradiga al evangelio, las promesas de Dios. La enseñanza de los judaizantes era: 'Cumple la ley y ganarás la vida'. ¡Y creían que estaban siendo prácticos! El apóstol lo niega. Muestra que ese argumento es puramente hipotético: **Si se hubiera promulgado una ley capaz de dar vida, entonces sí que la justicia se basaría en la ley** (v. 21). Pero no existe tal ley. Y volviendo de la hipótesis a la realidad, el hecho es que nadie jamás ha cumplido la ley de Dios. En lugar de eso, nosotros, los pecadores, la quebrantamos todos los días. En consecuencia, aquella no puede justificarnos.

¿Cómo, entonces, es posible encontrar coherencia entre la ley y la promesa? Solo percatándonos de que los hombres heredan la promesa porque no pueden cumplir la ley, y que esta incapacidad, hace mucho más deseable la promesa; en realidad la hace indispensable. Versículo 22: **Pero la Escritura declara que todo el mundo es prisionero del pecado**; en efecto, el Antiguo Testamento declara abiertamente la universalidad del pecado humano; por ejemplo: 'No hay nadie que haga lo bueno; ¡no hay uno solo!' (Salmos 14.3). Las Escrituras asignan la prisión a todo pecador por sus pecados, **para que mediante la fe en Jesucristo lo prometido se les conceda a los que creen.** Lutero expresa la idea con su habitual contundencia: 'El punto principal ... de la ley ... no es hacer al hombre mejor, sino peor; es decir, le muestra su pecado, para que conociéndolo se humille, aterrorizado, magullado y quebrantado, y para que por ese medio sea movido a buscar la gracia, que le permita llegar a esa bendita Semilla (a saber, Cristo)'.[5]

Resumiendo, los judaizantes sostenían falsamente que la ley anula la promesa y la sustituye; Pablo enseña la verdadera función de la ley, que es confirmar la promesa y hacerla indispensable.

Conclusión

Las categorías del apóstol suenan extrañas a nuestros oídos, y su argumento está estrechamente entretejido. No obstante, expone aquí algunas verdades eternas.

a. Una verdad acerca de Dios

Esta se podría expresar así: 'Dios está cumpliendo su propósito a medida que un año sucede a otro'. Algunas personas piensan en la Biblia como una jungla intransitable, llena de contradicciones, una enmarañada maleza de ideas inconexas. En realidad, es totalmente lo contrario, ya que una de sus principales glorias es su coherencia. Toda ella, desde el Génesis hasta el Apocalipsis, relata la historia del propósito soberano de la gracia del Señor, su plan maestro de salvación por medio de Cristo.

Aquí el apóstol Pablo, con una amplitud de visión que nos deja muy atrás, reúne a Abraham, Moisés y Jesucristo. En ocho cortos versículos recorre casi 2.000 años. Inspecciona prácticamente todo el paisaje del Antiguo Testamento. Lo presenta como una cadena de montañas, cuyas cumbres más elevadas son Abraham y Moisés, y cuyo Everest es Jesucristo. Muestra cómo la promesa de Dios a Abraham fue confirmada por Moisés y cumplida por Cristo. Enseña la unidad de la Biblia, especialmente entre el Antiguo y el Nuevo Testamento.

En la Iglesia hoy en día hay una gran necesidad de una filosofía de la historia bíblica y cristiana. La mayoría de nosotros somos cortos de vista y estrechos de mente. Estamos tan preocupados por los asuntos actuales en el siglo xx, que ni el pasado ni el futuro nos interesan demasiado. Los árboles no nos dejan ver el bosque. Necesitamos dar un paso atrás y tratar de asimilar todo el consejo de Dios, su propósito eterno de redimir a su pueblo para sí mismo por medio de Jesucristo. Nuestra filosofía de la historia debe hacer lugar no solamente para los siglos después de Cristo, sino también para los siglos anteriores a él. No solamente para Abraham y Moisés, sino también para Adán, por medio del cual entraron al mundo el pecado y el juicio, y para Cristo, por medio del cual vino la salvación. Si incluimos el comienzo de la historia, también debemos incluir su consumación, cuando Cristo regrese con poder y gran gloria, para tomar su autoridad y su reino. El Dios revelado en la Biblia está llevando a cabo un plan: 'hace todas las cosas conforme al designio de su voluntad' (Efesios 1.11).

b. Una verdad acerca del ser humano

Después de que el Señor comunicó a Abraham su promesa, dio la ley a Moisés. ¿Por qué? Sencillamente porque tenía que empeorar las cosas antes de poder mejorarlas. La ley expone, provoca, y condena el pecado. El propósito de la ley era, por así decirlo, levantar la cubierta de la respetabilidad del hombre y dejar al descubierto lo que realmente es debajo de la superficie: pecador, rebelde, culpable bajo el juicio de Dios, e incapaz de salvarse a sí mismo.

Y aun así tenemos que permitir que la ley cumpla hoy la función que Dios le dio. Una de las grandes fallas de la Iglesia contemporánea es la tendencia a minimizar la importancia del pecado y del juicio. Como falsos profetas curamos 'por encima la herida de mi pueblo' (Jeremías 6.14; 8.11). Dietrich Bonhoeffer lo expresó así: 'Solo cuando uno se somete a la ley es que puede hablar de la gracia ... No creo que sea cristiano querer llegar al Nuevo Testamento demasiado pronto y en forma demasiado directa'.[6] Jamás debemos esquivar la ley para llegar directamente al evangelio. Hacerlo es contradecir el plan del Señor en la historia bíblica.

¿Acaso no es esto por lo que se aprecia poco el evangelio hoy? Algunos lo ignoran, otros lo ridiculizan. Es que en nuestra evangelización moderna arrojamos nuestras perlas (siendo el evangelio la perla más valiosa) a los cerdos. La gente no puede ver la belleza de la perla, porque no tiene noción de la mugre de la pocilga. Ningún hombre ha valorado el evangelio hasta que la ley se lo hubo revelado. Solo contra el trasfondo absolutamente oscuro del pecado y del juicio es que aquel resplandece.

Mientras la ley no nos magulle y nos azote no admitiremos nuestra necesidad del evangelio para sanar nuestras heridas. No es hasta que la ley nos arreste y nos haga prisioneros que suspiraremos porque Cristo nos libere. No es hasta que la ley nos condene y nos quite la vida que clamaremos a Cristo por justificación y vida. No es hasta que la ley nos haga desesperar de nosotros mismos que creeremos en Jesús. No es hasta que la ley nos haya humillado hasta el infierno que nos volveremos al evangelio para que nos eleve al cielo.

10

Bajo la ley y en Cristo
Gálatas 3.23–29

[3.23]Antes de venir esta fe, la ley nos tenía presos, encerrados hasta que la fe se revelara. [24]Así que la ley vino a ser nuestro guía encargado de conducirnos a Cristo, para que fuéramos justificados por la fe. [25]Pero ahora que ha llegado la fe, ya no estamos sujetos al guía.

[26]Todos ustedes son hijos de Dios mediante la fe en CristoJesús, [27]porque todos los que han sido bautizados en Cristo se han revestido de Cristo. [28]Ya no hay judío ni griego, esclavo ni libre, hombre ni mujer, sino que todos ustedes son uno solo en Cristo Jesús. [29]Y si ustedes pertenecen a Cristo, son la descendencia de Abraham y herederos según la promesa.

En Gálatas 3.15–22 el apóstol Pablo repasa 2.000 años de historia del Antiguo Testamento: de Abraham, pasando por Moisés, a Cristo. También muestra cómo esos grandes personajes bíblicos se relacionan entre sí en el desarrollo del propósito de Dios, cómo él hizo una promesa a Abraham, y a Moisés le dio una ley, y cómo a través de Cristo cumplió la promesa que la ley había revelado como algo indispensable. Porque la ley condenaba a muerte a los pecadores, mientras que la promesa les ofrecía justificación y vida eterna.

Ahora Pablo elabora su idea y muestra que esa progresión desde la promesa, pasando por la ley hasta el cumplimento de la misma, es algo más que la historia del Antiguo Testamento y de la nación judía. Es la biografía de cada hombre, por lo menos la de cada cristiano. Todos estamos o bien cautivos de la ley porque seguimos esperando el cumplimiento de la promesa, o liberados de la ley porque hemos heredado la promesa. Más sencillamente, todos vivimos ya sea en el Antiguo Testamento o en el Nuevo, y derivamos nuestra religión respectivamente de Moisés o de Jesús. En el lenguaje de este párrafo, vivimos presos por 'la ley' o 'en Cristo'.

El propósito de Dios para nuestro peregrinaje espiritual es que pasemos por la ley para llegar a experimentar la promesa. La tragedia es que mucha gente las separa, esperando obtener una sin la otra. Algunos intentan llegar a Jesús sin antes conocer a Moisés. Quieren esquivar el Antiguo Testamento, heredar la promesa de justificación en Cristo sin pasar por el sufrimiento de ser condenados por la ley. Otros van a Moisés y a la ley que condena, pero no salen de esa triste esclavitud. Siguen viviendo en el Antiguo Testamento. Su religión es un penoso yugo difícil de llevar. Nunca han ido a Cristo para ser librados.

Aquí se describen esos dos escenarios. Los versículos 23–24 describen lo que éramos bajo la ley, y los versículos 25–29 lo que somos en Cristo.

1. Lo que éramos bajo la ley | 23–24

En una palabra, éramos esclavos. En estos versículos el apóstol usa dos vívidas comparaciones, en las que la ley se vincula primero con una prisión, donde estábamos cautivos, y luego con un tutor, cuya disciplina era severa y dura.

a. Una prisión | 23

Antes de venir esta fe, la ley nos tenía presos, encerrados ... Examinemos ambos verbos. La palabra griega para 'presos' (*phroureō*) significa estar 'custodiados por guardia militar' (Grimm-Thayer). Cuando se la aplicaba a una ciudad, se refería a mantener al enemigo fuera o retener a los habitantes dentro y evitar que huyeran o desertaran. Se la usa en el Nuevo Testamento para referirse al intento de retener a Pablo en Damasco: '... el gobernador bajo el rey Aretas mandó que *se vigilara* [presumiblemente colocando centinelas] la ciudad de los damascenos con el fin de arrestarme', escribió el propio Pablo (2 Corintios 11.32, cursivas añadidas). Y Lucas describe cómo los judíos 'día y noche *vigilaban* de cerca las puertas de la ciudad con el fin de eliminarlo' (Hechos 9.24, cursivas añadidas). Confinado así en la ciudad, la única forma de huida fue el indecoroso procedimiento de ser descolgado de noche por una ventana en el muro, y descendido a tierra en un cesto. El mismo verbo griego se usa metafóricamente en relación a la protección que proveen la paz y el poder de Dios (Filipenses 4.7; 1 Pedro 1.5) y aquí se lo aplica a la ley. Significa también 'custodiar' (Arndt-Gingrich). El otro verbo que aparece en el versículo, 'encerrar' (*sungkleiō*), es similar. Significa 'acorralar' o 'cercar'. Su único uso literal en el Nuevo Testamento aparece en el relato de Lucas acerca de una pesca milagrosa, en la que '*encerraron* una gran cantidad de peces' (Lucas 5.6 BA, cursivas añadidas).

De manera que ambos verbos destacan que los mandamientos y la ley de Dios nos tienen en prisión, nos mantienen confinados, para que no podamos escapar. La traducción de la PDT dice: 'La ley nos custodiaba como a prisioneros'.

b. Un tutor | 24

Esta es la segunda descripción metafórica de la ley. La palabra griega es *paidagōgos* y significa literalmente 'tutor, es decir, guía y guardián de jóvenes' (Grimm-Thayer). El tutor generalmente era un esclavo, su tarea era 'conducir al muchacho o joven hasta y desde la escuela, y supervisar su conducta en general' (Arndt-Gingrich). Las versiones de la Biblia que traducen 'maestro' no son acertadas porque el *paidagōgos* no era el maestro del muchacho sino más bien la persona que lo disciplinaba. Solía ser severo, al extremo de la crueldad, y en los grabados antiguos generalmente se lo describe con una vara o palmeta en la mano. Para J. B. Phillips el equivalente moderno sería una 'institutriz estricta'. Pablo también usa esta palabra en 1 Corintios 4.15 para decirles que 'en su vida con Cristo podrían tener miles de *tutores*, pero no más de un padre' (PDT). En otras palabras: 'Hay muchas personas que pueden disciplinarlos, pero yo soy el único que los ama'. Más adelante, en el mismo capítulo, pregunta: '¿Qué prefieren? ¿Que vaya a verlos con un látigo [es decir, como un *paidagōgos*], o con amor y un espíritu apacible [es decir como un padre]?' (1 Corintios 4.21).

¿Qué suponen estos símiles? ¿En qué sentido es la ley como el carcelero de una prisión o como la institutriz o el tutor de un niño? La ley expresa la voluntad de Dios para su pueblo, nos dice qué debemos hacer y qué no, y nos advierte de las penalidades ante la desobediencia. Como todos hemos desobedecido, hemos caído bajo su condenación. Todos estamos 'bajo pecado' (v. 22, RVC), en consecuencia todos estamos 'bajo la ley' (v. 23, RVC). Por naturaleza y en la práctica todos estamos 'bajo maldición' (v. 10), es decir la 'maldición de la ley' (v. 13). Nada de lo que hagamos puede librarnos de su cruel tiranía. Como un carcelero, nos ha arrojado en la prisión; como un *paidagōgos*, nos reprende y nos castiga por nuestra mala conducta.

Pero, para nuestra dicha, Dios nunca tuvo la intención de que esta opresión fuera permanente. En su gracia, nos dio la ley para que la promesa fuera más deseable. De modo que a ambas descripciones de nuestra esclavitud Pablo agrega aquí una referencia al tiempo: *Antes de venir esta fe*, la ley nos tenía presos, encerrados *hasta que la fe se revelara* (v. 23, cursivas añadidas). Además 'la ley fue nuestra tutora *hasta que vino Cristo*; nos protegió *hasta que* se nos declarara justos ante Dios por medio de la fe' (v. 24, NTV, cursivas añadidas). Estas son dos maneras de decir lo mismo, porque 'Cristo' y 'fe' van juntos. Los dos versículos nos dicen que la función opresiva de la ley era provisoria, y que la intención final no era herirnos sino bendecirnos. Su propósito era encerrarnos en prisión hasta que Cristo nos liberara, o tenernos bajo tutoría hasta que él nos hiciera hijos.

Solo Cristo puede librarnos de la prisión en la que la maldición de la ley nos ha puesto, porque él fue hecho maldición por nosotros. Solo Cristo puede librarnos de la severa disciplina de la ley, porque él nos hace hijos obedientes a su Padre por amor, y ya no somos niños traviesos que requieren un tutor que los castigue.

2. Lo que somos en Cristo | 25–29

Versículo 25: **Pero ahora que ha llegado la fe, ya no estamos sujetos al guía.** La expresión adversativa de Pablo 'pero ahora' destaca que lo que somos ahora es muy diferente de lo que éramos. Ya no estamos bajo la ley, en el sentido de estar condenados y ser prisioneros de ella. Ahora estamos **en Cristo Jesús** (v. 26), unidos a él por la fe, y por ello hemos sido aceptados por Dios gracias a Cristo, a pesar de nuestros graves delitos.

Los últimos cuatro versículos de Gálatas 3 están llenos de Jesucristo, como se destaca en las cursivas añadidas. Versículo 26: **Todos ustedes son hijos de Dios mediante la fe *en Cristo Jesús*.** Versículo 27: **porque todos los que han sido bautizados en Cristo se han revestido** de Cristo. La NTV dice: 'se han puesto a Cristo como si se pusieran ropa nueva'. La referencia podría ser a la *toga virilis*, que comenzaba a vestir un muchacho cuando pasaba a ser hombre, como señal de que había madurado. Versículo 28b: **todos ustedes son uno solo en Cristo Jesús.** Versículo 29: **Y si ustedes pertenecen a Cristo, son la descendencia de Abraham.** Esto, entonces, es ser cristiano. Un cristiano está 'en Cristo', ha sido bautizado 'en Cristo', se ha revestido 'de Cristo' y pertenece 'a Cristo'.

Ahora Pablo pasa a desarrollar tres resultados de estar unidos a Cristo de esa manera.

a. En Cristo somos hijos de Dios | 26–27

Dios ya no es nuestro Juez, el que nos ha condenado y puesto en prisión por medio de la ley. El Señor ya no es nuestro tutor que por medio de la ley nos refrena y nos castiga. Él es ahora nuestro Padre, que nos ha aceptado y perdonado en Cristo. Ya no le tememos, esperando el castigo que merecemos; ahora lo amamos, con una profunda devoción filial. No somos prisioneros en espera de la ejecución final de nuestra sentencia, ni menores bajo el dominio de un tutor, sino hijos de Dios y herederos de su glorioso reino, que disfrutamos de dicha condición y de los privilegios de hijos maduros (que es el único sentido en que el Nuevo Testamento aceptaría la moderna expresión de 'mayoría de edad').

Esta condición de hijo de Dios es 'en Cristo'; no es por nosotros mismos. La doctrina de Dios como Padre universal no fue enseñada por Cristo ni por sus apóstoles. El Señor es efectivamente el Creador universal, quien puso en existencia todas las cosas, y el Rey universal, quien gobierna y reina sobre toda su creación. Pero únicamente es el Padre de nuestro Señor Jesucristo y de aquellos a quienes él adopta en su familia por medio de Cristo. Si todos hemos de ser hijos de Dios, debemos estar 'en Cristo Jesús . . . gracias a la fe' (v. 26, BL), que es una traducción mejor que la tan familiar 'mediante la fe en Cristo Jesús'. Es por medio de la fe que estamos en Cristo, y por estar en él somos hijos de Dios.

El bautismo expresa en forma visible esta unión con Cristo. Versículo 27: **Porque todos los que han sido bautizados en Cristo se han revestido de Cristo.** Esto no puede de ninguna manera significar que el acto del bautismo en sí mismo una a la persona con Cristo, que la simple administración de agua lo convierte en hijo de Dios. Debemos reconocer que la teología de Pablo es coherente. Todo este capítulo está dedicado al concepto de que somos justificados por fe, no por la circuncisión. Es inconcebible que ahora el apóstol sustituya la circuncisión por el bautismo y enseñe ¡que estamos en Cristo por medio del bautismo! El apóstol claramente hace de la *fe* el camino para nuestra unión con Cristo. Menciona la fe cinco veces en este párrafo, mientras que al bautismo una sola. La fe asegura la unión; el bautismo la expresa en forma externa y visible. Entonces, en Cristo somos hijos de Dios por la fe interior (v. 26), y el bautismo como señal exterior (v. 27).

b. Todos vosotros sois uno en Cristo Jesús | 28

Literalmente, 'Todos ustedes son una sola persona en Cristo Jesús' (NEB). En Cristo no solamente pertenecemos a Dios (como hijos), también nos pertenecemos unos a otros (como hermanos y hermanas). Y nos pertenecemos unos a otros a tal punto que dejamos de tener en cuenta las cosas que normalmente nos distinguen, como la raza, la condición, el sexo.

Primero, *no hay desigualdad entre linajes*. **Ya no hay judío ni griego** (v. 28). Dios llamó a Abraham y a sus descendientes (el linaje judío) para confiarles la singular revelación de sí mismo. Pero, cuando vino Cristo, se cumplió la promesa del Señor de que en la simiente de Abraham serían bendecidas todas las familias de la Tierra. Esto incluye a todas las naciones de toda raza, color o lengua. Somos iguales, iguales en nuestra necesidad de salvación, iguales en nuestra incapacidad para ganarla o merecerla e iguales en el hecho de que se nos la ofreció libremente en Cristo. Una vez que la hemos recibido, nuestra igualdad se transforma en comunión, la hermandad que solamente Cristo puede generar.

Segundo, *no hay desigualdad de condiciones*. No hay **esclavo ni libre**. Prácticamente todas las sociedades de la historia del mundo han desarrollado algún sistema de clases o castas. Las circunstancias del nacimiento, la riqueza, los privilegios y la educación han separado a los hombres y las mujeres entre sí. En Cristo el esnobismo está descartado y las diferencias de clase carecen de sentido.

Tercero, *no hay desigualdad entre género*. No hay **hombre ni mujer**. Esta notable afirmación de igualdad entre los sexos fue hecha adelantándose por siglos a los tiempos. En el mundo antiguo las mujeres eran generalmente despreciadas, incluso en el judaísmo, y con frecuencia explotadas y maltratadas. Pero aquí se declara que en Cristo el hombre y la mujer son uno e iguales: una afirmación hecha por Pablo, a quien muchas personas, con ignorancia, consideran un antifeminista.

Debo agregar unas palabras de advertencia. Esta gran afirmación del versículo 28 no significa que desaparecen realmente las diferencias raciales, sociales, y de género. Los cristianos no son literalmente daltónicos, al punto de no ver si la piel de una persona es negra, cobriza, amarilla o blanca. Tampoco son ajenos al trasfondo cultural o educativo del que provienen las personas. No ignoran el género de las personas, como para tratar a un varón como si fuera mujer, o a una mujer como si fuera varón. Claro que toda persona pertenece a una raza y nación, se ha nutrido de una cultura particular y es varón o mujer. Cuando decimos que Cristo ha abolido esas distinciones, no queremos decir que no existan, sino que ya no cuentan. Siguen ahí, pero ya no generan barreras para la comunión. Nos reconocemos unos a otros como iguales, hermanos y hermanas en Cristo. Por la gracia de Dios resistimos a la tentación de despreciar a otro o tratarlo con condescendencia, porque nos consideramos 'una sola persona en Cristo Jesús' (NEB).

c. En Cristo somos la descendencia de Abraham | 29

Y si ustedes pertenecen a Cristo, son la descendencia de Abraham. Vimos que en Cristo pertenecemos a Dios y unos a otros. En Cristo también pertenecemos a Abraham. Ocupamos nuestro lugar en la noble sucesión histórica de la fe, cuyos representantes destacados se enumeran en Hebreos 11. Ya no nos sentimos como niños de la calle, sin significado en la historia, o como trozos de material inútil flotando en la marea del tiempo. En lugar de eso, hallamos nuestro lugar en el plan de Dios que se va revelando. Somos la descendencia espiritual de nuestro padre Abraham, que vivió y murió hace 4.000 años, porque en Cristo nos hemos convertido en herederos de la promesa que el Señor le hizo a él.

Estos, entonces, son los resultados de estar 'en Cristo', y nos hablan con poderosa relevancia para nuestra época. Nuestra generación está abocada al desarrollo de una filosofía del sinsentido. Actualmente está de moda creer (o decir que se cree) que la vida no tiene ningún sentido, ningún propósito. Hay muchos que admiten que no tienen motivos para vivir. Sienten que no pertenecen a ningún lugar, o, si pertenecen, es al grupo que se conoce como los 'no comprometidos'. Se consideran a sí mismos 'marginales' o 'inadaptados'. Carecen de anclaje, seguridad u hogar. En términos bíblicos, están 'perdidos'.

Justamente para esas personas es la promesa de que en Cristo nos hallamos a nosotros mismos. Los que están sin compromiso se comprometen. Encuentran su lugar en la eternidad (relacionándose primero y principalmente con Dios como hijos o hijas), en la sociedad (relacionándose unos con otros como hermanos y hermanas de la misma familia) y en la historia (relacionándose también con la sucesión del pueblo de Dios a través de los siglos). Esta es una relación tridimensional que obtenemos cuando estamos en Cristo: en altura, anchura, y longitud. Es una relación en 'altura' por la reconciliación con el Señor que, aunque los teólogos radicales rechacen el concepto y debamos tener cuidado con la manera en que lo interpretamos, es un Dios que está por encima de nosotros, un Dios que trasciende al universo que ha creado. Luego, es una relación en 'anchura' porque en Cristo estamos unidos a todos los demás creyentes en el mundo. Por último, es una relación en 'longitud' porque nos unimos a la larga lista de creyentes a lo largo de toda la línea del tiempo.

De modo que la conversión, aunque sobrenatural en su origen, es natural en sus efectos. No perturba a la naturaleza, sino que la completa, porque me pone en el lugar donde pertenezco. Me relaciona con el Señor, con el hombre y con la historia. Me permite responder a la pregunta fundamental de todos los seres humanos: '¿Quién soy?', y decir: 'En Cristo soy un hijo de Dios. En Cristo estoy unido con todo el pueblo redimido de Dios, pasado, presente y futuro. En Cristo descubro mi identidad. En Cristo encuentro mi camino. En Cristo vuelvo a casa'.

Conclusión

El apóstol ha pintado un vivo contraste entre los que están bajo la ley y los que están en Cristo, y todo el mundo pertenece a una u otra categoría. Si estamos bajo la ley nuestra religión es una esclavitud. No conocemos nada sobre el perdón; seguimos, por así decirlo, bajo custodia, como prisioneros, o como niños bajo tutores. Es triste estar en la guardería o estar presos, cuando en realidad podemos ser maduros y tener libertad. Pero si estamos en Cristo hemos sido puestos en libertad. Nuestra religión se caracteriza por la promesa más que por la ley. Nos sabemos en buena relación con Dios, y con todas las criaturas de Dios del universo, del tiempo y de la eternidad.

No podemos acudir a Cristo para ser justificados sin antes haber pasado por Moisés para ser condenados. Pero una vez que hemos acudido a Moisés, y hemos reconocido nuestro pecado, nuestra culpa y nuestra condenación, no debemos quedarnos allí. Debemos permitir que Moisés nos remita a Cristo.

11

Una vez esclavos, ahora hijos
Gálatas 4.1–11

^{4.1}En otras palabras, mientras el heredero es menor de edad, en nada se diferencia de un esclavo, a pesar de ser dueño de todo. ²Al contrario, está bajo el cuidado de tutores y administradores hasta la fecha fijada por su padre. ³Así también nosotros, cuando éramos menores, estábamos esclavizados por los principios de este mundo. ⁴Pero cuando se cumplió el plazo, Dios envió a su Hijo, nacido de una mujer, nacido bajo la ley, ⁵para rescatar a los que estaban bajo la ley, a fin de que fuéramos adoptados como hijos. ⁶Ustedes ya son hijos. Dios ha enviado a nuestros corazones el Espíritu de su Hijo, que clama: '¡*Abba*! ¡Padre!' ⁷Así que ya no eres esclavo sino hijo; y como eres hijo, Dios te ha hecho también heredero.

⁸Antes, cuando ustedes no conocían a Dios, eran esclavos de los que en realidad no son dioses. ⁹Pero ahora que conocen a Dios —o más bien que Dios los conoce a ustedes—, ¿cómo es que quieren regresar a esos principios ineficaces y sin valor? ¿Quieren volver a ser esclavos de ellos? ¹⁰¡Ustedes siguen guardando los días de fiesta, meses, estaciones y años! ¹¹Temo por ustedes, que tal vez me haya estado esforzando en vano.

Hemos visto cómo, en Gálatas 3, el apóstol Pablo repasó 2.000 años de historia del Antiguo Testamento. En particular, mostró la relación entre tres de las grandes figuras de la historia bíblica: Abraham, Moisés y Jesucristo. Explicó que Dios prometió a Abraham bendecir todas las familias de la Tierra por medio de su descendencia. Que luego dio una ley a Moisés que, lejos de anular la promesa, en realidad la tornó más necesaria y urgente; y que la promesa fue cumplida en Cristo, de manera que todo aquel a quien la ley lleve a Cristo hereda la promesa que Dios hizo a Abraham.

Ahora, en Gálatas 4.1-11, repite nuevamente el mismo relato, contrastando la situación del ser humano bajo la ley (vv. 1-3) con la condición que tiene cuando está en Cristo (vv. 4-7), y basado en ese contraste, hace un apasionado llamado a la vida cristiana (vv. 8-11). La secuencia de su pensamiento se podría resumir así: 'Antes éramos esclavos. Ahora somos hijos. ¿Cómo podemos volver a la antigua esclavitud?'.

1. La condición del hombre bajo la ley | 1-3

Bajo la ley, dice Pablo, los hombres eran como un heredero durante su infancia o minoridad. Supongamos un niño que hereda una gran propiedad. Algún día todo será de él. En realidad ya lo es en promesa, pero no en la práctica porque todavía es un niño. Mientras es menor, aunque por título es señor de toda la propiedad, 'no [está] en mejor situación que los esclavos' (NTV). Se lo pone **bajo el cuidado de tutores y administradores**, que hacen las veces de 'controladores de su persona y de la propiedad'.[1] Le dan órdenes, lo dirigen y lo disciplinan. Está bajo restricción. No tiene libertad. Por ser el heredero, en realidad es el señor; pero mientras es menor, no es mejor que un esclavo. Además, seguirá con esa esclavitud **hasta la fecha fijada por su padre** (v. 2).

Así también nosotros, continúa el apóstol (v. 3). Incluso en los tiempos del Antiguo Testamento, antes de la venida de Cristo y cuando estábamos bajo la ley, éramos herederos (herederos de la promesa que Dios hizo a Abraham). Pero todavía no habíamos heredado la promesa. Éramos como niños durante los años de su minoridad; nuestra niñez era una forma de esclavitud.

¿En qué consistía esa esclavitud? Sabemos, claro está, que era una esclavitud de la ley, porque la ley era nuestro 'guardián' (3.24, PDT) y necesitábamos ser 'rescatados' de ella (4.5). Pero aquí la ley aparece equiparada con **principios de este mundo** (v. 3) o 'las cosas elementales del mundo' (BA). Y en el versículo 9 esos principios se califican de 'ineficaces y sin valor': 'ineficaces' porque la ley no tiene poder para redimirnos, y 'sin valor' porque carecen de riqueza con la cual bendecirnos.

¿Qué son esos **principios**? La palabra griega es *stoicheia*, 'elementos'. En términos generales, tanto en griego como en español, la palabra 'elementos' tiene dos significados. Primero, se la puede utilizar en el sentido de cosas 'elementales' como las letras del abecedario, el ABC que aprendemos en la escuela. Aparece con ese sentido en Hebreos 5.12. Si este es el sentido que Pablo quiere darle en Gálatas 4 al término *stoicheia*, entonces está vinculando el período del Antiguo Testamento con la educación rudimentaria del pueblo de Dios, que se completó con posterior educación cuando vino Cristo. Así traduce RVC: 'los principios básicos del mundo' y la PDT como 'las reglas elementales de este mundo'. Tales traducciones son ciertamente apropiadas para la metáfora de la niñez que el apóstol ha desarrollado, pero por otra parte, un grado elemental de educación no es exactamente un estado de 'esclavitud'.

La segunda manera en que se puede interpretar 'principios', es como 'los espíritus que controlan el universo' (TLA) o 'los poderes que dominan este mundo' (DHH). En el mundo antiguo esos espíritus generalmente se asociaban ya sea con los elementos físicos (la tierra, el fuego, el aire y el agua) o con los cuerpos celestes (el Sol, la Luna y las estrellas), que regulan las festividades estacionales que se observan en la Tierra. Esta versión va mejor con el versículo 8, donde se nos dice que éramos esclavos de **los que en realidad no son dioses**, es decir, los demonios o espíritus malignos.

Pero ¿cómo se puede considerar la esclavitud a la ley como esclavitud a los espíritus del mal? ¿Acaso Pablo está sugiriendo que la ley era un invento perverso de Satanás? Claro que no. Nos ha dicho antes que la ley fue dada a Moisés por Dios, no por Satanás, y por mediación de ángeles (3.19): espíritus buenos, no malos. Lo que el apóstol quiere decir es que el diablo tomó esta cosa buena (la ley) y la torció para que cumpla su propósito perverso, con el fin de esclavizar a los hombres y mujeres. Así como durante la minoridad de un niño su tutor podría maltratarlo e incluso tiranizarlo de maneras que su padre jamás pensó, el diablo ha explotado la buena ley de Dios para tiranizar a los hombres en formas que jamás estuvieron en la intención del Señor. Su intención era que la ley pusiera en evidencia el pecado y llevara a los hombres a Cristo; el diablo la usa para poner en evidencia el pecado y llevar a los hombres a la desesperación. El plan del Señor era que la ley funcionara como un paso intermedio para la justificación del hombre; Satanás la usa como la etapa final de su condenación. El plan de Dios era que la ley fuera un peldaño para la libertad; Satanás la usa como callejón sin salida, engañando y haciendo creer a sus víctimas que no hay forma de escapar de su terrible esclavitud.

2. La acción de Dios por medio de Cristo | 4–7

Versículo 4: **Pero cuando se cumplió el plazo** … La esclavitud del hombre bajo la ley duró alrededor de 1.300 años. Fue un largo tiempo de dura minoridad. Pero finalmente se cumplió el tiempo (ver Marcos 1.15), la fecha fijada por el Padre para que los niños adquirieran la mayoría de edad, fueran libres de sus guardianes y heredaran la promesa.

¿Por qué se llama 'la plenitud del tiempo' (BA) a la venida de Cristo? Varios factores se combinaron para eso. Por ejemplo, era la época en que Roma había conquistado y subyugado toda la tierra habitada que se conocía; los caminos construidos por los romanos facilitaban las comunicaciones y se habían establecido legiones romanas para vigilarlos. También era el momento en que la lengua y la cultura griegas habían dado cierta cohesión a la sociedad. Por otro lado, los antiguos dioses mitológicos de Grecia y Roma estaban perdiendo su dominio sobre la gente, de modo que el corazón y la mente de las personas en todas partes estaban hambrientos de una religión verdadera y satisfactoria. Era el tiempo en que la ley de Moisés había cumplido su función de preparar a los hombres para Cristo, habiéndolos sujetado bajo su tutela y su prisión, de modo que anhelaban ardientemente la libertad que solo Cristo podía darles.

Cuando llegó la plenitud del tiempo, Dios hizo dos cosas.

Primero, Dios envió a su Hijo. Versículos 4–5: **Pero cuando se cumplió el plazo, Dios envió a su Hijo, nacido de una mujer, nacido bajo la ley, para rescatar a los que estaban bajo la ley, a fin de que fuéramos adoptados como hijos.** Observemos que el propósito del Señor era tanto rescatar como adoptar; no solamente rescatar de la esclavitud, sino convertir a los esclavos en hijos.[2] Aquí no se nos dice de qué manera se obtuvo ese rescate, pero sabemos por Gálatas 1.4 que fue mediante la muerte de Cristo, y por 3.13 que por esa muerte

Cristo se hizo 'maldición'. Lo que se destaca en estos versículos es que aquel a quien el Señor envió para cumplir nuestra redención estaba perfectamente calificado para hacerlo. Era el Hijo de Dios. También fue nacido de madre humana, de modo que el Hijo fue humano además de divino, absolutamente el único Dios-hombre. Y nació **bajo la ley**, es decir, de madre judía, en la nación judía, sujeto a la ley judía. Durante su vida se sometió a todas las exigencias de la ley. Tuvo éxito donde nadie jamás lo había tenido: cumplió perfectamente la justicia de la ley. De manera que la divinidad de Cristo, la humanidad de Cristo y la justicia de Cristo lo calificaban de manera única para ser el redentor de los hombres. De no haber sido un hombre, no hubiera podido redimir a los hombres. De no haber sido un hombre justo, no hubiera podido redimir a los hombres pecadores. Y de no haber sido el Hijo de Dios, no hubiera podido redimir a los hombres para Dios ni convertirlos en hijos de Dios.

Segundo, Dios envió su Espíritu. Versículo 6: **Ustedes ya son hijos. Dios ha enviado a nuestros corazones el Espíritu de su Hijo, que clama: '¡Abba! ¡Padre!'.** En el griego, el verbo traducido en el versículo 4 como **envió** es el mismo y está en el mismo tiempo verbal que el del versículo 6 (*exapesteilen*), que NVI traduce **ha enviado**. En consecuencia, hubo un doble envío de Dios el Padre. Observemos la referencia a la Trinidad. Primero, Dios envió a su Hijo al mundo; segundo, envió a su Espíritu a nuestro corazón. Y al entrar en nuestro corazón, el Espíritu comenzó a exclamar '¡Abba Padre!', o, como lo cita el pasaje paralelo de Romanos 8.15–16: "Ustedes no recibieron un espíritu que de nuevo los esclavice al miedo, sino el Espíritu que los adopta como hijos y les permite clamar: '¡Abba! ¡Padre!'. El Espíritu mismo le asegura a nuestro espíritu que somos hijos de Dios". *Abba* en arameo es el diminutivo de 'Padre'. Es la expresión que Jesús usó en su oración íntima a Dios. TLA lo traduce 'Papá, querido Papá'. De modo que la intención del Señor no era solamente asegurar nuestra filiación por medio de su Hijo, sino también asegurarla por medio de su Espíritu. Envió a su Hijo para que pudiéramos tener la *condición* de hijos, y envió a su Espíritu para que pudiéramos tener *experiencia* de ello. Esto último viene por medio de la intimidad afectiva y confidencial de nuestro acceso a Dios mediante la oración, en la que nos hallamos usando un lenguaje y mostrando una actitud que no es propia de esclavos sino de hijos.

Así es que la presencia del Espíritu Santo que mora en nosotros, dando testimonio de nuestra condición de hijos y provocando nuestras oraciones, es el precioso privilegio de todos los hijos de Dios. Es porque **ustedes ya son hijos** (v. 6) que el Señor ha enviado el Espíritu de su Hijo a nuestro corazón. No hace falta ninguna otra calificación. No hace falta recitar alguna fórmula, ni esforzarse por tener determinada experiencia, ni cumplir alguna condición extra. Pablo nos dice claramente que *si* somos hijos de Dios, y *porque* somos hijos de Dios, él ha enviado su Espíritu a nuestro corazón. Y la manera en que nos asegura nuestra condición de hijos no es mediante algún regalo o señal espectacular, sino por la silenciosa presencia interior del Espíritu cuando oramos.

Versículo 7: **Así que,** concluye Pablo esta etapa de su argumentación, **ya no eres esclavo sino hijo; y como eres hijo ... también heredero.** Este cambio de condición, dice en el mismo versículo, es por lo que **Dios te ha hecho.** Lo que somos como cristianos, como hijos, y como herederos del Señor no lo somos por nuestro propio mérito, ni por nuestro esfuerzo, sino porque **Dios ... ha hecho.** Lo somos por iniciativa de la gracia de Dios, quien primero envió a su Hijo a morir por nosotros y luego envió a su Espíritu para vivir en nosotros.

3. El llamado del apóstol | 8–11

Pablo contrasta nuevamente lo que éramos antes con lo que hemos llegado a ser. Pero esta vez pinta el contraste con colores nuevos, en términos de nuestro conocimiento de Dios. Versículo 8: **Antes ... no conocían a Dios.** Versículo 9: **Pero ahora que conocen a Dios —o más bien** (porque la iniciativa fue de Dios) **que Dios los conoce a ustedes—, ... ** Nuestra esclavitud era de los espíritus malignos, a causa de nuestra ignorancia de Dios; nuestra condición de hijos consiste en el conocimiento del Señor, conocerlo y ser conocidos por él, en la intimidad de una comunión personal a la que Jesús llamó 'vida eterna' (Juan 17.3).

Ahora viene el llamado del apóstol. Su argumento es el siguiente: 'si antes eras esclavo y ahora hijo, si antes no conocías a Dios pero ahora has llegado a conocerlo y a ser conocido por él, ¿cómo puedes volver a la antigua esclavitud? ¿Cómo puedes permitir que los espíritus elementales de los que Jesucristo te ha rescatado te vuelvan a esclavizar?'.

Versículo 10: **¡Ustedes siguen guardando los días de fiesta, meses, estaciones y años!** En otras palabras, tu religión se ha convertido en un formalismo externo. Ya no es la libre y gozosa comunión de los niños con su Padre; se ha tornado en una sombría rutina de reglas y normas. Y agrega Pablo con tristeza: **Temo por ustedes, que tal vez me haya estado esforzando en vano** (v. 11). Teme que todo el tiempo y el esfuerzo que les ha dedicado sea una pérdida. En lugar de crecer en la libertad con que Cristo los hizo libres, han caído otra vez en la antigua esclavitud.

¡Ay, qué torpes estos gálatas! Ciertamente podemos entender el lenguaje del hijo pródigo, que vino a su padre y le dijo: 'Ya no merezco que se me llame tu hijo; trátame como si fuera uno de tus jornaleros' o 'esclavos'. Pero ¿cómo puede alguien ser tan insensato como para decir: 'Me hiciste tu hijo, pero prefiero seguir siendo esclavo'? Una cosa es decir 'no lo merezco' pero otra muy distinta es decir 'No lo deseo, prefiero la esclavitud a la condición de hijo'. Sin embargo esa fue la insensatez de los gálatas, bajo la influencia de los falsos maestros.

Conclusión

Podemos aprender de este pasaje en qué consiste la vida cristiana y cómo vivirla.

a. En qué consiste la vida cristiana

La vida cristiana es la vida de hijos e hijas; no es la vida de los esclavos. Es libertad, no esclavitud. Claro que somos esclavos de Dios, de Cristo, y unos de otros.[3] Pertenecemos al Señor, a Cristo, y unos a otros, y disfrutamos de servir a quienes pertenecemos. Pero este tipo de servicio es libertad. La vida cristiana no es esclavitud a la ley, como si nuestra salvación pendiera de un hilo y dependiera de nuestra meticulosa y servil obediencia a la letra de la ley. En realidad, nuestra salvación, a la que abrazamos por fe, descansa sobre la obra acabada de Cristo, sobre su muerte con la que llevó el pecado y la maldición.

¡Sin embargo muchas personas religiosas son esclavas de su religión! Son como Juan Wesley en los días posteriores a su graduación de la Universidad de Oxford en el 'Club santo'. Era hijo de un clérigo, y clérigo él mismo. Era ortodoxo en su fe, religioso en la práctica, recto en su conducta y lleno de buenas obras. Él y sus compañeros visitaban a los internos en las cárceles y en los obrajes de Oxford. Se compadecían de los niños en los conventillos de la ciudad, proveyéndoles alimentos, ropa y educación. Observaban el sábado como el sabbat y también el domingo. Asistían a la iglesia y participaban en la Santa Cena. Daban el diezmo, estudiaban las Escrituras, ayunaban y oraban. Pero estaban cautivos de los grilletes de su propia religión, porque confiaban en sí mismos, en su rectitud, en lugar de poner su confianza en Jesucristo crucificado. Algunos años más tarde, Juan Wesley (en sus propias palabras) llegó a 'confiar en Cristo, y solamente en Cristo para salvación' y recibió la seguridad interior de que sus pecados habían sido borrados. Después de eso, mirando atrás a su experiencia anterior a la conversión, escribió: 'Todavía tenía entonces la fe de un *siervo*, pero no la de un hijo'.[4] El cristianismo es una religión de hijos, no de siervos.

b. Cómo vivir la vida cristiana

La manera de vivir la vida cristiana es recordar qué y quiénes somos. La esencia del mensaje de Pablo es esta: 'Una vez fueron esclavos, ahora son hijos. ¿Cómo pueden entonces volver a la esclavitud?'. Su pregunta es una asombrada e indignada protesta. No es imposible volver a la antigua vida; los gálatas efectivamente lo habían hecho. ¡Pero es absurdo hacerlo! Es una negación básica de lo que hemos llegado a ser, de lo que Dios ha hecho en nosotros si estamos en Cristo.

La forma de evitar la insensatez de los gálatas es tener en cuenta las palabras del apóstol. Permitir que la Palabra de Dios nos diga continuamente qué y quiénes somos si estamos en Cristo. Debemos recordarnos a nosotros mismos continuamente lo que tenemos y somos en él. Este es uno de los grandes propósitos de la lectura de la Biblia, de la meditación y de la oración diaria, el de mantenernos correctamente orientados, recordar qué y quiénes somos. Necesitamos decirnos: 'Antes era esclavo, pero Dios me ha hecho su hijo y ha puesto el Espíritu de su Hijo en mi corazón. ¿Por qué volver a la antigua esclavitud?'. Y también: 'Antes no conocía a Dios, pero ahora lo conozco y él me conoce. ¿Por qué volver a la antigua ignorancia?'.

Por la gracia del Señor debemos decidirnos a recordar lo que fuimos alguna vez para no volver jamás a eso; debemos recordar lo que Dios ha hecho con nosotros para adecuar nuestra vida a ello.

Un buen ejemplo de esto es John Newton. Era hijo único y perdió a su madre a los siete años. Salió al mar a la tierna edad de once años y, en palabras de uno de sus biógrafos, más tarde se vio envuelto en las 'indescriptibles atrocidades de la trata de esclavos de África'. Sondeó las profundidades del pecado y la degradación humana. A los veintitrés años, el 10 de marzo de 1748, cuando su nave estaba en peligro inminente de fondear en una terrible tormenta, clamó a Dios pidiendo misericordia, y la halló. Se convirtió verdaderamente, y jamás olvidó cómo el Señor había tenido misericordia de él, antes blasfemo. Procuraba diligentemente tener presente lo que había sido antes, y lo que Dios había hecho por él. Para grabarlo en su memoria había escrito en letras grandes y colocado sobre la repisa de su estudio las palabras de Deuteronomio 15.15: 'Recuerda que fuiste esclavo en Egipto, y que el Señor tu Dios te dio libertad'.

Si procuramos tener presente lo que fuimos alguna vez y lo que ahora somos, tendríamos un creciente deseo de vivir de acuerdo con ello, de ser lo que somos, es decir, hijos de Dios liberados por Cristo.

La relación entre Pablo y los gálatas
Gálatas 4.12–20

4.12 Hermanos, yo me he identificado con ustedes.
Les suplico que ahora se identifiquen conmigo.
No es que me hayan ofendido en algo. ¹³Como bien
saben, la primera vez que les prediqué el evangelio
fue debido a una enfermedad, ¹⁴y aunque ésta fue
una prueba para ustedes, no me trataron con desprecio
ni desdén. Al contrario, me recibieron como a un ángel
de Dios, como si se tratara de Cristo Jesús. ¹⁵Pues bien,
¿qué pasó con todo ese entusiasmo? Me consta que,
de haberles sido posible, se habrían sacado los ojos
para dármelos. ¹⁶¡Y ahora resulta que por decirles
la verdad me he vuelto su enemigo!

¹⁷Esos que muestran mucho interés por ganárselos a
ustedes no abrigan buenas intenciones. Lo que quieren
es alejarlos de nosotros para que ustedes se entreguen
a ellos. ¹⁸Está bien mostrar interés, con tal de que ese
interés sea bien intencionado y constante, y que no se
manifieste sólo cuando yo estoy con ustedes. ¹⁹Queridos
hijos, por quienes vuelvo a sufrir dolores de parto hasta
que Cristo sea formado en ustedes, ²⁰¡cómo quisiera
estar ahora con ustedes y hablarles de otra manera,
porque lo que están haciendo me tiene perplejo!

Si en nuestro estudio hasta ahora hemos pensado en Pablo simplemente como un erudito con grandes poderes intelectuales, mucha cabeza y poco corazón, este párrafo corregirá nuestra impresión.

Porque aquí él apela a los gálatas con profundo sentimiento y una inmensa ternura. Primero, los llama **hermanos** en el versículo 12; luego, al final del párrafo, en el versículo 19, **hijos** (una expresión muy propia del apóstol Juan). Va más allá hasta compararse con una madre, que está con **dolores de parto hasta que Cristo sea formado** en ellos. En Gálatas 3.3 hemos escuchado a Pablo el apóstol, a Pablo el teólogo, Pablo el defensor de la fe; ahora estamos escuchando a Pablo el hombre, el pastor, el apasionado amante de las almas.

1. El llamado de Pablo | 12

Comenzamos con las sencillas palabras del versículo 12: **Hermanos, yo me he identificado con ustedes. Les suplico que ahora se identifiquen conmigo.** En la frase original en griego hay un solo verbo; podríamos traducirla literalmente como 'Háganse como yo, porque yo como ustedes'. ¿Qué quiso decir Pablo?

a. Háganse como yo

En el contexto, siguiendo la angustiante queja del apóstol de que los gálatas se estaban volviendo a la antigua esclavitud de la que Cristo los había redimido, este pedido puede significar solo una cosa. Pablo anhelaba que se volvieran como él en su vida y su fe cristianas, que fueran librados de la mala influencia de los falsos maestros, y que compartieran con él sus convicciones acerca de la verdad de Jesús, y acerca de la libertad que Cristo ha obtenido para nosotros. Quería que fueran como él en su libertad cristiana. Al rey Agripa le expresó un sentimiento similar cuando este dijo: 'Un poco más y me convences a hacerme cristiano', a lo que Pablo respondió: 'Sea por poco o por mucho ... le pido a Dios que no sólo usted, sino también todos los que me están escuchando hoy, lleguen a ser como yo, aunque sin estas cadenas' (Hechos 26.28–29). En otras palabras, el apóstol le dijo al rey: 'No quiero que te hagas prisionero como yo, pero sí quiero que te hagas cristiano como yo'. Todos los cristianos deberíamos poder decir algo así, especialmente a los no creyentes; a saber, que estamos tan satisfechos con Jesucristo, con su libertad, su gozo y su salvación, que queremos que otras personas se hagan como nosotros.

b. Porque yo . . . como ustedes

A la luz de los versículos que siguen, el verbo que falta debe estar en tiempo pasado. Es decir: 'Háganse como yo, porque yo *me hice* como ustedes'. La referencia probablemente sea a las visitas que Pablo les hizo. Cuando fue a Galacia, no guardó distancia ni se subió sobre un pedestal, sino que se hizo como ellos. Aunque era judío, se hizo como los gentiles, igual que ellos. Esto era coherente con el principio expresado en 1 Corintios 9.20–22:

> Entre los judíos me volví judío, a fin de ganarlos a ellos ...
> Entre los que no tienen la ley me volví como los que están sin ley ... a fin de ganar a los que están sin ley. Entre los débiles me hice débil, a fin de ganar a los débiles. Me hice todo para todos, a fin de salvar a algunos por todos los medios posibles.

Aquí hay un importante principio de gran alcance para los ministros, los misioneros y otros obreros cristianos. Y es que, al procurar ganar a otras personas para Cristo, el objetivo es hacerlas como nosotros, mientras que el medio para lograrlo es hacernos como ellas. Si han de llegar a ser uno con nosotros en su convicción y su experiencia cristianas, primero debemos hacernos uno con ellos en compasión cristiana. Debemos ser capaces de decir con el apóstol Pablo 'Yo me hice como ustedes, ahora ustedes háganse como yo'.

Este breve pedido introduce el resto del párrafo en el que el apóstol escribe sobre la actitud de los gálatas hacia él (vv. 13–16) y sobre su propia actitud hacia ellos (vv. 17–20). Es un pasaje sumamente iluminador, no solamente porque en él alcanzamos a ver a Pablo el evangelista y pastor, sino también porque aprendemos de las relaciones correctas que hoy deben tener entre sí el pastor y su congregación. En cada sección el apóstol hace una comparación. Primero (vv. 13–16), contrasta la actitud de los gálatas hacia él en el pasado, cuando los visitó, con la actitud que tienen hacia él ahora, cuando les está escribiendo. Segundo (vv. 17–20) compara su propia actitud hacia ellos, con la actitud de los falsos maestros hacia ellos.

2. La actitud de los gálatas hacia Pablo | 13–16

Versículo 12b: 'No es que me hayan ofendido en algo'. Pablo no tiene quejas por la manera que lo trataban antiguamente los gálatas. Por el contrario, en esa época la conducta de ellos era ejemplar.

¿Qué había pasado cuando visitó Galacia? Les recuerda en el versículo 13 que al principio les había predicado el evangelio **debido a una enfermedad**. No sabemos con certeza lo que quiso decir. Lucas no dice en Hechos que una enfermedad fuera la causa de la visita de Pablo a los gálatas. Pero posiblemente, a menos que tuviera un brote de alguna condición crónica, camino a Galacia contrajo una infección que lo retuvo allí. Es posible que esa enfermedad, cualquiera fuera, sea la misma 'espina' que menciona en 2 Corintios 12.7 como 'clavada en el cuerpo' y una *astheneia*, una debilidad física. Algunas personas suponen que él contrajo malaria en las ciénagas infestadas de mosquitos de Panfilia, en la oportunidad en que Juan Marcos perdió el valor y tuvo que volver a casa (Hechos 13.13). Si fue así, Pablo se hubiera orientado naturalmente hacia el norte para subir a la vigorizante meseta montañosa de Galacia. Pero para cuando llegó a Galacia, estaba en medio de una gran fiebre. Cualquiera fuera la enfermedad, tenía síntomas desagradables y molestos. Parece haberlo desfigurado de alguna manera. Además, si leemos el versículo 15 en su contexto, parece ser que la enfermedad le afectó la vista, al punto que, si hubiera sido posible, los gálatas se hubieran quitado los ojos para dárselos a él. Y, efectivamente, hay otra indicación en el Nuevo Testamento que sugiere que el apóstol pudo haber sufrido algún tipo de oftalmia.[1]

Todo eso, su debilidad física y su desfiguración, significó una difícil prueba para los gálatas. Versículo 14: **Aunque ésta fue una prueba para ustedes** ... Los gálatas estuvieron tentados a despreciarlo y rechazarlo, a tratarlo con lo que el obispo Lightfoot llama 'desdeñosa indiferencia' e, incluso, con 'activa aversión'.[2] Pero, dice Pablo, **no me trataron con desprecio ni desdén**. En lugar de rechazarlo, fue bien recibido. En realidad, continúa el apóstol, **me recibieron como a un ángel de Dios, como si se tratara de Cristo Jesús.**

Esta es una expresión extraordinaria. Es otra clara indicación de que él es muy consciente de su autoridad apostólica. No ve nada inapropiado en que los gálatas lo recibieran como si fuera uno de los ángeles de Dios, o como si fuera Jesucristo, el Hijo de Dios. No los reprende por tratarlo con deferencia exagerada, como lo hizo cuando una multitud trató de adorarlo en Listra, una de las ciudades de Galacia (Hechos 14.8-18). En aquella ocasión, después que Pablo sanara a un tullido de nacimiento, la multitud pagana comenzó a exclamar: '¡Los dioses han tomado forma humana y han venido a visitarnos!'. El sacerdote y la gente trataron de sacrificar un toro en honor del apóstol y Bernabé, pero ellos los detuvieron y los reprendieron. No obstante, en esta oportunidad Pablo no reprende a los gálatas por recibirlo como si fuera un ángel de Dios o el Cristo de Dios. Aunque personalmente sabía que no era otra cosa que un hombre pecador, en realidad 'el peor de ellos' (1 Timoteo 1.15, PDT), oficialmente era un apóstol de Jesucristo, investido con su autoridad y enviado por Cristo en una misión. Por lo tanto estaba muy bien que lo recibieran **como a un ángel de Dios,** porque era un mensajero de él, y como si se tratara de Cristo Jesús, ya que venía a ellos con la autoridad de Cristo y con su mensaje. Sus apóstoles eran sus delegados personales. De ellos se decía en aquel tiempo que 'el enviado por una persona es como la persona misma'. Cristo mismo lo había previsto. Al enviar a sus apóstoles, les dijo: 'Quien los recibe a ustedes, me recibe a mí; y quien me recibe a mí, recibe al que me envió' (Mateo 10.40). Así, al recibir a Pablo, los gálatas hacían bien en recibirlo como a Cristo, porque lo reconocían como apóstol o delegado de él mismo.

Pero eso había sido tiempo atrás. Ahora la situación había cambiado. Versículo 15: **Pues bien, ¿qué pasó con todo ese entusiasmo?** Habían estado muy complacidos, muy orgullosos de tener a Pablo entre ellos en esos días. Versículo 16: ¡**Y ahora resulta que por decirles la verdad me he vuelto su enemigo!** Había ocurrido un cambio radical. Al mismo que habían recibido como ángel de Dios, como Hijo de Dios, ¡ahora lo consideraban enemigo! ¿Por qué? Sencillamente porque les había estado diciendo algunas verdades dolorosas, reprendiéndolos, amonestándolos, acusándolos de abandonar el evangelio de la gracia y de volver a la esclavitud.

Aquí hay una importante lección. Cuando los gálatas reconocieron la autoridad apostólica de Pablo, lo trataron como un ángel, como al mismo Jesucristo. Pero cuando no les gustó su mensaje, se convirtió en su enemigo. ¡Qué inestables eran, y qué insensatos! La autoridad de un apóstol no cesa cuando comienza a enseñar verdades impopulares. No podemos ser selectivos en nuestra lectura de la doctrina apostólica del Nuevo Testamento. No podemos tratar con deferencia a un apóstol como si fuera un ángel cuando nos gusta lo que enseña, y detestarlo y rechazarlo como un enemigo cuando no nos gusta lo que enseña. No, los apóstoles de Jesucristo tienen autoridad en todo lo que enseñan, nos guste o no.

3. La actitud de Pablo hacia los gálatas | 17–20

Pablo pasa ahora a comparar la actitud de los falsos maestros hacia los gálatas con la suya propia hacia los mismos.

Veamos primero la actitud de los falsos maestros. Versículo 17: **Esos que muestran mucho interés por ganárselos a ustedes.** No está muy claro lo que el apóstol quiere decir, ya que el versículo ha sido traducido de diversas maneras en las diferentes versiones de la Biblia. Pero parece estar acusando a los falsos maestros de haber adulado innecesariamente a los gálatas. Con miras a ganarlos para su evangelio distorsionado, los falsos maestros habían estado adulándolos y consintiéndolos. Él entonces añade (v. 18): **Está bien mostrar interés, con tal de que ese interés sea bien intencionado y constante, y que no se manifieste sólo cuando yo estoy con ustedes.** Pero los falsos maestros no eran sinceros en su devoción por los gálatas. Su verdadera motivación era **alejarlos de nosotros** (v. 17), es decir, alejarlos de Cristo y de la libertad que hay en él; y quieren hacerlo **para que ustedes se entreguen a ellos.** Cuando se considera al cristianismo como libertad en Cristo (lo cual es), los cristianos no son serviles con sus maestros humanos, porque su meta es madurar en Jesús. Pero cuando el cristianismo se convierte en una esclavitud a reglas y mandamientos, sus víctimas quedan inevitablemente en sujeción, completamente dependientes de sus maestros, como en la Edad Media.

La actitud de Pablo hacia los gálatas era diferente de la de los falsos maestros. En el versículo 19 los llama 'queridos hijos' poniéndose en el lugar de una madre. ¿Es esto hacerlos dependientes de él? No. La metáfora de la madre no es para mostrar la dependencia de los gálatas en relación con él sino su propio padecimiento por ellos. Versículo 19: **Queridos hijos, por quienes vuelvo a sufrir dolores de parto hasta**

que Cristo sea formado en ustedes. El apóstol no está satisfecho con que Cristo *more* en ellos; anhela verlo *formado en* ellos, verlos transformados a su imagen, 'hasta que ustedes tomen la forma de Cristo' (NEB). En efecto, ese es el motivo de su ferviente deseo y sus oraciones por ellos. Asemeja su sufrimiento a los dolores de parto. Había estado con dolores de parto anteriormente en la época de la conversión de ellos, en su nuevo nacimiento; ahora la reincidencia de los gálatas le provoca otro parto. Nuevamente sufre los dolores del alumbramiento. La primera vez había ocurrido un aborto; ahora anhela que Cristo sea verdaderamente formado en ellos. El Léxico de Arndt-Gingrich cita ejemplos del uso médico de este verbo para 'formación del embrión'. La figura está un poco confusa, pero como bien dice el doctor Alan Cole, Pablo no nos está dando una lección de embriología.[3] Más bien está expresando su profundo y sacrificado amor por los gálatas, su anhelo de verlos conformados a la imagen de Cristo. Estaba 'perplejo' por ellos (v. 20), no sabía 'qué más … hacer para ayudarlos' (NTV), quisiera visitarlos y así cambiar de tono, pasar de la 'severidad a la amabilidad'.[4]

Ahora deberíamos tener clara la diferencia entre Pablo y los falsos maestros. Estos procuraban dominar a los gálatas; el apóstol anhelaba que Cristo fuera formado en ellos. Los otros buscaban egoístamente su propio prestigio y posición, Pablo, en cambio, estaba preparado para sacrificarse por ellos, aun pasar por el trabajo de parto para que Cristo fuera formado en ellos.

Conclusión

'Una de las grandezas de las epístolas de Pablo —escribió John Brown— es que encarnan una guía perfecta para el ministro cristiano'.[5] En este pasaje podemos aprender en particular la relación recíproca que debería haber entre la gente y su pastor, entre el ministro y la congregación. Claro que el ministro cristiano no es un apóstol de Cristo. Carece de la autoridad y de la inspiración de un apóstol. No puede establecer reglas como tal. Ni la congregación debe tratarlo con la deferencia con que lo haría con uno de ellos. No obstante, el ministro cristiano está llamado a enseñar a la gente la fe apostólica del Nuevo Testamento. Y si el ministro es fiel a su comisión, la actitud de la gente para con él reflejará la actitud que tienen hacia los apóstoles de Cristo y hacia Jesucristo mismo.

a. La actitud de la gente hacia el pastor

¿Qué determina la actitud de la congregación hacia su ministro? Para comenzar, no debe estar determinada por la apariencia personal. El ministro bien puede ser feo, como dice la tradición respecto del apóstol Pablo, o apuesto. Puede estar en forma, o enfermo como él cuando visitó Galacia. Puede tener una personalidad agradable o poco atractiva. Puede tener dones destacados, o ser sencillamente un hombre fiel sin ningún brillo extraordinario. Pero la gente no debe dejar que su actitud hacia el pastor se vea influenciada por su apariencia externa. No deben adularlo porque lo encuentran atractivo, ni despreciarlo y rechazarlo porque no lo sea. Los gálatas resistieron la tentación de permitir que la apariencia personal de Pablo influyera en su actitud para con él. Así debería ser en las congregaciones de hoy.

Segundo, la actitud para con el ministro no debe estar determinada por caprichos teológicos de la gente. Pablo se convirtió en 'enemigo' para los gálatas simplemente porque les disgustaron unas cuantas verdades que les estaba señalando. La congregación debe tener cuidado de no valorar a su ministro según propios y subjetivos antojos.

En cambio, la actitud de la congregación para con su ministro debe estar determinada por la lealtad del mismo para con el mensaje apostólico. Ya hemos visto que ningún ministro, por eminente que sea su cargo en la iglesia visible, es apóstol de Jesucristo. No obstante, si es fiel en comunicar lo que enseñaron los apóstoles, los cristianos de una congregación devota recibirán humildemente el mensaje y se someterán al mismo, no se ofenderán ni lo rechazarán. Por el contrario lo recibirán bien, incluso con la deferencia con que recibirían a un ángel de Dios, o a Jesucristo mismo, porque reconocen que el mensaje del ministro no es su elaboración personal, sino el mensaje de Jesús.

En la Iglesia actual hay muy poca consideración por la palabra apostólica. Con frecuencia lo que más importa es la técnica del predicador, sus gestos, su voz, cuánto tiempo se prolonga su prédica, o si logran escucharlo, entenderlo y estar de acuerdo con él. Y a menudo, una vez terminado el sermón, les gusta criticarlo y despedazarlo.

Es cierto que la gente tiene motivos para la crítica si el predicador no es fiel a su comisión, si no hace ningún intento de predicar bíblicamente, o si él mismo no se somete al mensaje apostólico. Pero si el ministro expone la Palabra de Dios, la reacción correcta de la congregación debería ser recibir el mensaje en lugar de criticarlo (no por la autoridad del ministro, sino por la autoridad de Cristo, de quien es el mensaje). La mayoría de las congregaciones hoy tendrían que estar más atentas, ser más humildes, y tener más hambre de escuchar la exposición de la Palabra de Dios.

b. La actitud del pastor hacia la gente

Calvino escribió: 'Si los ministros quieren hacer algún bien, que se esfuercen por formar a Cristo en sus oyentes, no a sí mismos'.[6] Los ministros cristianos deberían asemejarse a Pablo, no a los judaizantes. Deberían interesarse por el bienestar espiritual de la gente y despreocuparse por su propio prestigio. No deberían explotar a sus oyentes en provecho propio, sino servirles para provecho de ellos. No deberían valerse de ellos para su propio placer, sino estar dispuestos a soportar el dolor por el bien de ellos. Deberían anhelar que Cristo se forme en la gente, y para ese fin estar dispuestos incluso a sufrir dolores de parto. Como comenta John Brown, 'cuando abundan tales pastores, la iglesia debe florecer'.[7]

Observemos finalmente las referencias a Cristo en los versículos 14 y 19. Versículo 14: **Me recibieron ... como si se tratara de Cristo Jesús.** Versículo 19: **Vuelvo a sufrir dolores de parto hasta que Cristo sea formado en ustedes.** Lo que debería importar a la congregación no es la apariencia del pastor, sino si *Cristo* está hablando por medio de él. Y lo que debería importar al pastor no es la aceptación de la congregación, sino si *Cristo* se forma en ellos. La iglesia necesita personas que, al escuchar a su pastor, escuchan el mensaje de Cristo; y pastores que, al trabajar entre las personas, busquen formar la imagen de Cristo en ellas. Solo cuando el pastor y la gente mantienen su mirada en Jesús, sus relaciones mutuas serán saludables, provechosas y agradables al Dios todopoderoso.

13

Isaac e Ismael
Gálatas 4.21–31

^{4.21}Díganme ustedes, los que quieren estar bajo la ley: ¿por qué no le prestan atención a lo que la ley misma dice? ²²¿Acaso no está escrito que Abraham tuvo dos hijos, uno de la esclava y otro de la libre? ²³El de la esclava nació por decisión humana, pero el de la libre nació en cumplimiento de una promesa.

²⁴Ese relato puede interpretarse en sentido figurado: estas mujeres representan dos pactos. Uno, que es Agar, procede del monte Sinaí y tiene hijos que nacen para ser esclavos. ²⁵Agar representa el monte Sinaí en Arabia, y corresponde a la actual ciudad de Jerusalén, porque junto con sus hijos vive en esclavitud. ²⁶Pero la Jerusalén celestial es libre, y ésa es nuestra madre. ²⁷Porque está escrito:

'Tú, mujer estéril que nunca has dado a luz,
 ¡grita de alegría!
Tú, que nunca tuviste dolores de parto,
 ¡prorrumpe en gritos de júbilo!
Porque más hijos que la casada
 tendrá la desamparada.'

²⁸Ustedes, hermanos, al igual que Isaac, son hijos por la promesa. ²⁹Y así como en aquel tiempo el hijo nacido por decisión humana persiguió al hijo nacido por el Espíritu, así también sucede ahora. ³⁰Pero, ¿qué dice la Escritura? '¡Echa de aquí a la esclava y a su hijo! El hijo de la esclava jamás tendrá parte en la herencia con el hijo de la

libre.' [31]Así que, hermanos, no somos hijos de la esclava sino de la libre.

Muchas personas consideran que este párrafo es uno de los más difíciles de la epístola a los Gálatas. Por una parte presupone un conocimiento del Antiguo Testamento que pocas personas tienen en la actualidad; menciona personajes como Abraham, Sara, Agar, Ismael, Isaac, y lugares como el Monte Sinaí, Jerusalén. Por otra parte, el argumento de Pablo es un tanto técnico, del tipo que era común en las escuelas rabínicas de la época; es alegórico, pero no arbitrario.

No obstante el mensaje de este párrafo está perfectamente actualizado y es especialmente relevante para personas religiosas. Según el versículo 21, este párrafo está dirigido a **los que quieren estar bajo la ley.** Hay muchas personas así hoy en día. No son, claro está, los judíos ni los judaizantes a quienes el apóstol escribía, sino personas cuya religión es legalista, que piensan que el camino a Dios es por el cumplimiento de la ley. Incluso hay cristianos profesantes que convierten el evangelio en ley. Creen que su relación con el Señor depende de la observancia estricta de reglamentos, ceremonias y tradiciones. Son esclavos de las mismas.

A esas personas Pablo les dice: **Díganme ustedes, los que quieren estar bajo la ley: ¿por qué no le prestan atención a lo que la ley misma dice?** (v. 21). Con estos judaizantes él utiliza un *argumentum ad hominem.* Es decir, los encara y les refuta en el propio territorio de ellos. Deja expuesta la inconsistencia y la falta de lógica de su razonamiento. '¿Quieren estar bajo la ley? —pregunta— ¡Entonces sencillamente escuchen a la ley! Porque la misma ley a quienes ustedes sirven, los juzgará y los condenará'.

Hay tres niveles en el argumento de este pasaje. El primero es histórico, el segundo alegórico y el tercero personal. En los versículos históricos (22–23), Pablo recuerda a sus lectores que Abraham tuvo dos hijos: Ismael, el hijo de una esclava, e Isaac, el hijo de una mujer libre. En los versículos alegóricos (vv. 24–27), sostiene que esos dos hijos con sus madres representan dos religiones: una religión de esclavitud que es el judaísmo, y una religión de libertad, que es el cristianismo. En los versículos personales (vv. 28–31), aplica su alegoría a sus lectores cristianos. Si somos cristianos, no somos como Ismael (esclavos) sino como Isaac (libres). Finalmente, nos advierte lo que debemos esperar si seguimos a Ismael.

Primer nivel: el trasfondo histórico | 22–23

Versículo 22: ¿Acaso no está escrito que Abraham tuvo dos hijos …? Uno de los alardes más sonoros y orgullosos de los judíos era que descendían de Abraham, padre y fundador de su raza. Después de siglos de confusión a raíz de la caída del hombre, finalmente fue a Abraham a quien Dios se reveló claramente a sí mismo. El Señor prometió a Abraham la tierra de Canaán y una descendencia tan numerosa como las estrellas del cielo y la arena de la playa del mar. En virtud del pacto con este patriarca y sus descendientes, los judíos se sentían seguros, eterna e inviolablemente seguros.

De manera que Juan el Bautista tuvo que decirles a sus contemporáneos: "No piensen que podrán alegar: 'Tenemos a Abraham por padre'. Porque les digo que aun de estas piedras Dios es capaz de darle hijos a Abraham" (Mateo 3.9). De manera similar, cuando Jesús les dijo a los judíos que habían creído en él que si se mantenían en su Palabra serían verdaderamente sus discípulos y conocerían la verdad que los haría libres, ellos respondieron: 'Nosotros somos descendientes de Abraham, ... y nunca hemos sido esclavos de nadie. ¿Cómo puedes decir que seremos liberados?' Jesús les respondió: 'Si fueran hijos de Abraham [es decir, en sentido espiritual además de biológico], harían lo mismo que él hizo. Ustedes, en cambio, quieren matarme … Abraham jamás haría tal cosa'. Entonces le dijeron: 'Un solo Padre tenemos, y es Dios mismo'. Jesús entonces les dijo: 'Si Dios fuera su Padre ... ustedes me amarían … Ustedes son de su padre, el diablo' (Juan 8.31–44).

El apóstol Pablo entonces elabora lo que Juan el Bautista dijo implícitamente y lo que Jesús enseñó en forma explícita. La verdadera descendencia de Abraham no es biológica sino espiritual. Los verdaderos hijos del patriarca no son los que tienen una impecable genealogía judía, sino los que creen como él creyó y obedecen como él obedeció. Este era el argumento de Gálatas 3, es decir, que la bendición prometida a Abraham no viene sobre los judíos como tales, descendientes biológicos de Abraham, sino sobre los creyentes, ya fueran judíos o gentiles (Gálatas 3.14). Y nuevamente en Gálatas 3.29:

'Y si ustedes pertenecen a Cristo, son la descendencia de Abraham y herederos según la promesa' (ver Romanos 4.16). No podemos afirmar que pertenecemos a Abraham a menos que pertenezcamos a Cristo.

Esta doble descendencia del patriarca, la falsa y la verdadera, siendo la falsa literal y biológica, y la verdadera figurativa y espiritual, es lo que Pablo considera ejemplificado en los dos hijos de Abraham, Ismael e Isaac. Ambos tenían a Abraham por padre, pero había dos diferencias importantes entre ellos.

La primera diferencia era que habían nacido de madres diferentes. Versículo 22: **¿Acaso no está escrito que Abraham tuvo dos hijos, uno de la esclava y otro de la libre?** La madre de Ismael, Agar, era una esclava, la sierva de Abraham. La madre de Isaac, Sara, era una mujer libre, la esposa de Abraham. Ambos niños salieron a su madre. Ismael nació siendo esclavo, mientras que Isaac nació en libertad.

La segunda diferencia es que nacieron de maneras diferentes. No es que el proceso biológico de la concepción y el nacimiento fuera diferente, sino que las circunstancias diferentes determinaron su nacimiento. Versículo 23: **El de la esclava nació por decisión humana** ('siguiendo el curso normal de la naturaleza', LP), **pero el de la libre nació en cumplimiento de una promesa.** Isaac no nació según la naturaleza, sino más bien contra la naturaleza. Su padre tenía cien años y su madre, que había sido estéril, había pasado los noventa. Hebreos 11.11 lo expresa como sigue: 'Por la fe Abraham, a pesar de su avanzada edad y de que Sara misma era estéril, recibió fuerza para tener hijos, porque consideró fiel al que le había hecho la promesa'. Observemos la palabra 'promesa'. Ismael nació según lo natural, mientras que Isaac nació contra lo natural, sobrenaturalmente, por una promesa excepcional de Dios.

Pablo considera que esas dos diferencias entre los hijos de Abraham, que Ismael nació esclavo según lo natural, mientras que Isaac nació libre según la promesa, son una alegoría. Todos somos esclavos por naturaleza, hasta que en cumplimiento de la promesa del Señor somos puestos en libertad. De manera que todos somos como Ismael o bien como Isaac: ya sea todavía lo que somos por naturaleza (esclavos), o bien ahora libres por la gracia de Dios.

Segundo nivel: el argumento alegórico | 24–27

Aunque las circunstancias del nacimiento de Ismael e Isaac son hechos históricos, también representan una profunda verdad espiritual. Versículo 24: **Estas mujeres representan dos pactos.**

Es imposible entender la Biblia sin entender los dos pactos. Después de todo, nuestra Biblia se divide en dos partes —Antiguo y Nuevo Testamento—, que representan el antiguo pacto y el nuevo pacto. Un pacto es un acuerdo solemne entre Dios y los seres humanos. El Señor estableció el antiguo pacto por medio de Moisés, y el nuevo por medio de Cristo, cuya sangre lo ratificó. El antiguo pacto (mosaico) se basaba en la ley; pero el nuevo (cristiano), prefigurado por Abraham y anunciado por Jeremías, se basa en promesas. En la ley, Dios puso la responsabilidad sobre los seres humanos y dijo: 'Hagan esto . . . no hagan aquello. . .'; mientras que en la promesa él mismo toma la responsabilidad y dice 'Yo lo haré'.

En este pasaje no solamente se mencionan dos pactos, sino también dos Jerusalén. Jerusalén era la ciudad capital que el Señor había elegido para la tierra que dio a su pueblo. Es natural entonces que la palabra 'Jerusalén' represente al pueblo de Dios, así como 'Moscú' representa al pueblo ruso, 'Tokio' a los japoneses, 'Washington' a los estadounidenses y 'Londres' a los ingleses.

Pero ¿quiénes son el pueblo de Dios? El pueblo de Dios bajo el antiguo pacto eran los judíos, pero su pueblo bajo el nuevo pacto son los cristianos, los creyentes. Ambos son 'Jerusalén', pero la 'actual ciudad de Jerusalén', la ciudad terrenal, es el pueblo de Dios del antiguo pacto, los judíos, mientras que el pueblo de Dios del nuevo pacto, la Iglesia cristiana, es la 'Jerusalén celestial'. Así las dos mujeres, Agar y Sara, las madres de los dos hijos de Abraham, representan los dos pactos, el antiguo y el nuevo, y las dos Jerusalén, la terrenal y la celestial.

Antes de considerar con más detalle lo que escribe el apóstol acerca de las dos mujeres, puede ser de ayuda leer los versículos 24–27 en la traducción PDT: "Todo esto es simbólico. Las mujeres representan dos pactos entre Dios y su pueblo: un pacto representado por Agar, tuvo lugar en el monte Sinaí, y da a luz un pueblo para esclavitud. Agar representa el monte Sinaí en Arabia, y corresponde a la Jerusalén de hoy que está en esclavitud junto con el pueblo que ha dado a luz. En cambio, la Jerusalén del cielo es como la mujer libre y ella es nuestra madre. Así dice la Escritura: '¡Alégrate tú, mujer que no puedes tener hijos! Tú que nunca has dado a luz. Grita de alegría porque no has sentido los dolores de parto. La mujer abandonada tendrá más hijos que la mujer que tiene esposo".

Tomemos primero a Agar. Como la madre que tuvo hijos en esclavitud, ella representa el pacto del monte Sinaí, la ley mosaica. Esto está claro, porque como señala Pablo (v. 25), **el monte Sinaí [está] en Arabia,** y a los árabes se los conocía como los 'hijos de Agar'. Es más claro todavía por el hecho de que los hijos de la ley, igual que los hijos de Agar, son esclavos. De manera que Agar representa el pacto de la ley. También **corresponde a la actual ciudad de Jerusalén, porque junto con sus hijos vive en esclavitud.**

Pero Sara era diferente. Versículo 26: **Pero la Jerusalén celestial es libre, y ésa es nuestra madre.** Es decir, si Agar, la mujer esclava madre de Ismael representa a la Jerusalén terrenal o al judaísmo, entonces Sara, la madre de Isaac, siendo una mujer libre, representa a la Jerusalén celestial o a la Iglesia cristiana. Y el apóstol agrega, **ésa es nuestra madre.** Como cristianos somos ciudadanos de **la Jerusalén celestial.** Estamos ligados al Dios vivo por un nuevo pacto, y esta ciudadanía no es esclavitud, sino libertad.

Pablo continúa (en el v. 27) citando Isaías 54.1. En este caso su referencia a dos mujeres, una estéril y la otra con hijos, no es a Sara y Agar, sino a los judíos. El profeta se está dirigiendo a los judíos exiliados cautivos en Babilonia. Relaciona su situación en el exilio, bajo juicio divino, con la de una mujer estéril a la que su esposo finalmente abandona, y a la situación futura de los judíos después de la restauración, con la de una madre fructífera que tiene más hijos que nunca. En otras palabras, Dios promete que su pueblo será más numeroso después de su regreso que lo que fue antes. Esta promesa tuvo un cumplimiento literal pero parcial en la restauración de los judíos en la tierra prometida. Pero su verdadero cumplimiento, el espiritual, dice el apóstol, es el crecimiento de la Iglesia cristiana, ya que los cristianos son la descendencia de Abraham.

Esta es, entonces, la alegoría. Abraham tuvo dos hijos, Ismael e Isaac, nacidos de dos madres, Agar y Sara, que representan dos pactos y dos Jerusalén. Agar la esclava representa el antiguo pacto, y su hijo

Ismael simboliza la Iglesia de la Jerusalén terrenal. Sara, la mujer libre representa el nuevo pacto y su hijo Isaac simboliza la Iglesia de la Jerusalén celestial. Aunque similares en apariencia, porque ambos eran hijos de Abraham, los dos niños eran esencialmente diferentes. De la misma manera, señala Pablo, no basta con afirmar que Abraham es nuestro padre. El asunto crucial es cuál es nuestra madre. Si es Agar, somos como Ismael, pero si es Sara, somos como Isaac.

Tercer nivel: la aplicación personal | 28–31

Versículo 28: **Ustedes, hermanos, al igual que Isaac, son hijos por la promesa.** Si somos cristianos, somos como Isaac, no como Ismael. Nuestra descendencia de Abraham es espiritual, no biológica. No somos sus hijos por naturaleza, sino sobrenaturalmente.

Por consiguiente, si somos como Isaac, debemos esperar que se nos trate como fue tratado él. El trato que recibió Isaac de su medio hermano Ismael es el trato que tendrán sus descendientes de parte de los descendientes de Ismael. Y el trato que recibió Isaac de su padre Abraham, es el trato que debemos esperar de parte de Dios.

a. Debemos esperar persecución

Versículo 29: **Y así como en aquel tiempo el hijo nacido por decisión humana persiguió al hijo nacido por el Espíritu, así también sucede ahora.** En la ceremonia en la que Isaac fue destetado, cuando probablemente era un niño de tres años e Ismael un joven de dieciséis, este ridiculizó a su pequeño medio hermano. No sabemos los detalles de lo que ocurrió, porque la actitud de Ismael se describe con un solo verbo hebreo, que probablemente significa 'reírse' o 'burlarse' (Génesis 21.9). No obstante, está claro que Isaac era el objeto de las burlas y la risa de Ismael.

Nosotros debemos esperar lo mismo. La persecución de la verdadera Iglesia, de los creyentes cristianos que remontan su descendencia espiritual de Abraham, no siempre viene del mundo, compuesto por seres ajenos a nosotros, sino de nuestros propios medio hermanos, gente religiosa, la Iglesia nominal. Siempre ha sido así. El Señor Jesucristo fue rechazado, burlado y condenado por su propio pueblo, y se le opusieron implacablemente. Los peores opositores del apóstol Pablo, que lo seguían a todas partes y agitaban a la gente en su contra, eran la Iglesia oficial, es decir, la institución religiosa judía. La estructura monolítica del papado medieval persiguió a todas las minorías protestantes con implacable y constante violencia. Y los principales enemigos de la fe evangélica no son hoy los incrédulos, porque cuando oyen el evangelio a menudo lo abrazan, sino la Iglesia, la institución, la jerarquía. Isaac sigue siendo perseguido y burlado por Ismael.

b. Recibiremos la herencia

Versículo 30: **Pero, ¿qué dice la Escritura? '¡Echa de aquí a la esclava y a su hijo! El hijo de la esclava jamás tendrá parte en la herencia con el hijo de la libre.'** Isaac tuvo que soportar la burla de su medio hermano Ismael; fue Isaac quien recibió la herencia de su padre Abraham. En algún momento el patriarca quiso que Ismael fuera su heredero: '¡Concédele a Ismael vivir bajo tu bendición!', suplicó a Dios. Sin embargo el Señor le respondió: 'Pero mi pacto lo estableceré con Isaac' (Génesis 17.18–21). De modo que Sara pidió a Abraham que despidiera a la esclava con su hijo, y Dios indicó a Abraham que hiciera lo que su esposa quería. Porque, aunque el Señor también iba a levantar una nación de la mujer esclava y su hijo (es decir, Ismael el padre de los árabes), agregó 'porque tu descendencia se establecerá por medio de Isaac' (Génesis 21.10–13).

De la misma manera, los verdaderos herederos de la promesa de Dios a Abraham no son sus hijos por descendencia biológica, los judíos, sino sus hijos por descendencia espiritual, creyentes cristianos judíos o gentiles. Pablo pregunta: **¿qué dice la Escritura?** Y debido a que dice: **¡Echa de aquí a la esclava y a su hijo!**, vemos que es la ley la que rechaza a la ley. Este pasaje de las Escrituras, al que los judíos interpretaron como el rechazo de Dios a los gentiles, el apóstol lo invierte audazmente y lo aplica a la exclusión de los judíos incrédulos de la herencia. Como señala J. B. Lightfoot, 'con ello el apóstol expresa tranquilamente la sentencia de muerte del judaísmo.'[1]

Esa es, entonces, la doble suerte de los 'Isaac': el dolor de la persecución por un lado, y el privilegio de la herencia por el otro. Somos despreciados y rechazados por los hombres; pero somos hijos de Dios, 'Y si somos hijos, somos herederos; herederos de Dios y coherederos con Cristo' (Romanos 8.17). Esta es la paradoja de la experiencia cristiana. Como lo expresa Pablo en 2 Corintios 6.8–10, pasamos 'por honra y por deshonra, por mala y por buena fama … aparentemente tristes, pero siempre alegres; pobres en apariencia, pero enriqueciendo a muchos; como si no tuviéramos nada, pero poseyéndolo todo'.

Conclusión

Este pasaje nos enseña la luminosa gloria de ser creyentes cristianos. Supone, entre otras cosas, dos grandes privilegios.

Primero, *heredamos las promesas del Antiguo Testamento*. El verdadero cumplimiento de las promesas del Antiguo Testamento no es literal sino espiritual. No se cumplen hoy día en la nación judía, como sostienen algunos dispensacionalistas, ni entre la gente británica o anglosajona, como lo enseñan los israelitas británicos, sino en Cristo y en el pueblo de Cristo que cree. Nosotros los cristianos somos la simiente de Abraham, que heredamos la bendición prometida a sus descendientes (v. 28) y somos **hijos . . . de la libre** (v. 31). Somos ciudadanos de la verdadera Jerusalén, **la Jerusalén celestial** (v. 26; ver Hebreos 12.2; Apocalipsis 3.12; 21.2). Somos el 'Israel de Dios' (Gálatas 6.16) y la verdadera circuncisión (Filipenses 3.3). Sin duda seremos perseguidos, pero todas las promesas del Señor a su pueblo en el Antiguo Testamento son nuestras si estamos de Cristo.

Segundo, *experimentamos la gracia de Dios*. Somos beneficiados por su misericordiosa iniciativa para salvarnos. Hemos visto que los dos hijos de Abraham y sus madres representan los dos pactos (el antiguo y el nuevo) y las dos Jerusalén (la terrenal y la celestial). También hemos visto que, en tanto las categorías del antiguo pacto son lo natural, la ley y la esclavitud, las categorías del pacto nuevo son la promesa, el Espíritu y la libertad. ¿Cuál es la diferencia fundamental entre ellas? Es la siguiente: la religión de Ismael es una religión de *lo natural*, de lo que *el ser humano* puede hacer por sí mismo sin intervención especial del Señor. La religión de Isaac, en cambio, es una religión de la *gracia*, de lo que *Dios* ha hecho y hace, una religión de la iniciativa divina y la intervención divina, porque Isaac nació sobrenaturalmente por medio de una promesa. Y de esto se trata el cristianismo, no es una religión 'natural' sino 'sobrenatural'. Los 'Ismael' de este mundo confían en sí mismos, en su propia rectitud; los 'Isaac' confían únicamente en el Señor por medio de Jesucristo.

Los primeros son esclavos, porque la confianza en uno mismo siempre lleva a eso; los segundos disfrutan la libertad, porque es por la fe en Cristo que somos puestos en libertad.

De manera que debemos procurar ser como Isaac, no como Ismael. Debemos poner nuestra confianza en Dios por medio de Jesucristo. Porque solo en él podemos heredar las promesas, recibir la gracia, y disfrutar de la libertad del Señor.

14

Religión falsa y religión verdadera
Gálatas 5.1–12

^{5.1}Cristo nos libertó para que vivamos en libertad. Por lo tanto, manténganse firmes y no se sometan nuevamente al yugo de esclavitud.

²Escuchen bien: yo, Pablo, les digo que si se hacen circuncidar, Cristo no les servirá de nada. ³De nuevo declaro que todo el que se hace circuncidar está obligado a practicar toda la ley. ⁴Aquellos de entre ustedes que tratan de ser justificados por la ley, han roto con Cristo; han caído de la gracia. ⁵Nosotros, en cambio, por obra del Espíritu y mediante la fe, aguardamos con ansias la justicia que es nuestra esperanza. ⁶En Cristo Jesús de nada vale estar o no estar circuncidados; lo que vale es la fe que actúa mediante el amor.

⁷Ustedes estaban corriendo bien. ¿Quién los estorbó para que dejaran de obedecer a la verdad? ⁸Tal instigación no puede venir de Dios, que es quien los ha llamado.

⁹'Un poco de levadura fermenta toda la masa.' ¹⁰Yo por mi parte confío en el Señor que ustedes no pensarán de otra manera. El que los está perturbando será castigado, sea quien sea. ¹¹Hermanos, si es verdad que yo todavía predico la circuncisión, ¿por qué se me sigue persiguiendo? Si tal fuera mi predicación, la cruz no ofendería tanto. ¹²¡Ojalá que esos instigadores acabaran por mutilarse del todo!

La epístola a los Gálatas es esencialmente una epístola polémica, una epístola en la que Pablo se sumerge de lleno en la controversia, por causa de la introducción de enseñanzas erróneas en las iglesias gálatas.

Estos versículos al comienzo de Gálatas 5 son congruentes con el tono de toda la carta. Es un párrafo de contrastes en el que el apóstol contrapone dos opiniones o puntos de vista; en realidad prácticamente dos religiones, una falsa y la otra verdadera. Marca el contraste dos veces, primero (vv. 1–6) desde el punto de vista de quienes practican las dos religiones, y segundo (vv. 7–12), desde el punto de vista de quienes las predican.

1. Creyentes falsos y creyentes verdaderos | 1–6

Los mejores manuscritos dividen el versículo 1 en dos frases separadas, de manera que, en lugar de exponer solo el mandamiento (como en RVC), expresan primero una afirmación (**Cristo nos libertó para que vivamos en libertad**), seguida de un mandato basado en la misma (**Por lo tanto, manténganse firmes y no se sometan nuevamente al yugo de esclavitud**).

a. La afirmación

Cristo nos libertó para que vivamos en libertad. Nuestra condición anterior se describe como esclavitud, Jesucristo como el libertador, la conversión como un acto de emancipación, y la vida cristiana como una vida de libertad. Esta libertad, como lo deja en claro toda la epístola y su contexto, no es principalmente una libertad frente al pecado, sino frente a la ley. Lo que Cristo ha hecho al liberarnos, de acuerdo al énfasis de Pablo, no consiste tanto en liberar nuestra *voluntad* de las ataduras del pecado, sino en liberar nuestra *conciencia* de la culpa del pecado. La libertad cristiana que el apóstol describe es libertad de conciencia, es libertad de la tiranía de la ley, de la terrible lucha por cumplir con la ley para obtener el favor de Dios. Es la libertad de sentirnos aceptados por el Señor y de tener acceso a él por medio de Cristo.

b. El mandato

Ya que 'Cristo nos ha liberado' para que 'disfrutemos de libertad' (LP), debemos estar firmes en ella y **no [someternos] nuevamente al yugo**

de la esclavitud. En otras palabras, debemos disfrutar la gloriosa libertad de conciencia que Cristo nos ha otorgado mediante su perdón. No debemos recaer en la idea de que necesitamos ganar la aceptación de Dios mediante nuestra obediencia. La figura se parece a la de un buey encorvado bajo el peso de un yugo.[1] Una vez liberado de su aplastante yugo, el buey puede volver a estar erguido (ver Levítico 26.13).

Es exactamente igual en la vida cristiana. En otro tiempo estábamos bajo el yugo de la ley, aplastados por las exigencias que no podíamos cumplir, y con la terrible condena por nuestra desobediencia. Pero Cristo cumplió las exigencias de la ley por nosotros. Murió por nuestra desobediencia y llevó nuestra condenación. Él 'nos rescató de la maldición de la ley' (3.13). Y ahora nos ha quitado el yugo de los hombros y nos ha librado para que podamos estar erguidos. Entonces, ¿podemos acaso ponernos nuevamente bajo la ley y someternos a su cruel yugo?

Este es entonces el tema de estos versículos. El cristianismo es libertad, no esclavitud. Cristo nos hizo libres, debemos estar firmes en nuestra libertad.

Del tema general pasamos a un asunto muy preciso en los versículos 2–4, que es el de la circuncisión. Como hemos visto, los falsos maestros de las iglesias gálatas estaban diciendo que los cristianos convertidos debían ser circuncidados. Este puede parecer un asunto trivial. Después de todo, la circuncisión es solamente una cirugía menor en el cuerpo. ¿Por qué se preocupaba y se molestaba tanto Pablo por eso? Por sus implicancias doctrinales. En los términos en que los falsos maestros la presentaban, la circuncisión no era una cirugía corporal ni un rito ceremonial, sino un símbolo teológico. Representaba un tipo particular de religión, es decir, la salvación mediante las buenas obras en obediencia a la ley. El lema de los falsos maestros era: 'A menos que ustedes se circunciden, conforme a la tradición de Moisés, no pueden ser salvos' (Hechos 15.1). Con ello declaraban que la fe en Cristo no era suficiente para la salvación. Había que agregar la circuncisión y la obediencia a la ley. Eso equivalía a decir que se debe permitir a Moisés que complete lo que Cristo había comenzado.

Veamos cómo describe Pablo la posición de los falsos maestros en estos versículos. Son aquellos que se **hacen circuncidar** (v. 2), y, por lo tanto, **el que se hace circuncidar está obligado a practicar toda la ley**

(v. 3), ya que eso es lo que su circuncisión los obliga a hacer; además, son quienes buscan **ser justificados por la ley** (v. 4).

¿Qué les dice el apóstol? No se anda con rodeos cuando les habla. Por el contrario, hace una grave afirmación: **Escuchen bien: yo, Pablo, les digo … han roto con Cristo; han caído de la gracia** (vv. 2, 4). En pocas palabras, agregar la circuncisión es perder a Cristo; tratar de ser justificado por la ley es caer de la gracia. No se puede tener ambas cosas. Es imposible recibir a Jesús, reconociendo por medio de ello que no podemos salvarnos por nosotros mismos, y luego recibir la circuncisión, afirmando de esa manera que sí podemos hacerlo. Tenemos que elegir entre una religión de ley o una religión de gracia, entre Cristo y la circuncisión. No podemos agregar la circuncisión a Cristo (o ninguna otra cosa, para el caso) como algo necesario para la salvación, porque él es suficiente en sí mismo para la salvación. Si agregamos cualquier otra cosa a Cristo, lo perdemos. La salvación es solamente en él por la gracia sola, en virtud de la fe.

En los versículos 5 y 6 el pronombre pasa de 'ustedes' a 'nosotros'. Pablo se ha estado dirigiendo a sus lectores y advirtiéndoles del peligro de caer de la gracia. Pero ahora se incluye a sí mismo y describe a los verdaderos creyentes, los creyentes evangélicos, que se mantienen firmes en el evangelio de la gracia: **Nosotros, en cambio, por obra del Espíritu y mediante la fe, aguardamos con ansias la justicia que es nuestra esperanza. En Cristo Jesús de nada vale estar o no estar circuncidados; lo que vale es la fe que actúa mediante el amor** (vv. 5–6). En estos versículos el acento está en la fe. El apóstol hace dos afirmaciones sobre ella.

Primero, **mediante la fe, aguardamos …** (v. 5). Lo que esperamos se califica como **la justicia que es nuestra esperanza**, la expectativa del futuro que nos da la justificación, es decir, pasar la eternidad con Cristo en el cielo. Lo que esperamos es esa salvación futura. No *trabajamos* para eso; sino que *aguardamos* por fe. No luchamos ansiosamente para asegurarla, ni pensamos que tenemos que ganarla mediante buenas obras. La glorificación final en el cielo es un regalo libre, lo mismo que nuestra justificación inicial.

Segundo, **En Cristo Jesús … lo que vale es la fe** (v. 6). Pablo vuelve a rechazar la falsa enseñanza. Cuando una persona está en Cristo, no hace falta nada más. Ni la circuncisión ni la incircuncisión pueden mejorar nuestra posición ante Dios. Todo lo que hace falta para ser aceptados por el Señor es estar en Cristo, y estamos en él mediante la fe.

Aquí se hace necesaria una advertencia. ¿Significa este énfasis en la fe en Cristo que podemos vivir y proceder como nos plazca? ¿Es la vida cristiana una vida tan completamente de fe que las buenas obras y la obediencia a la ley sencillamente no cuentan? No. Pablo tiene mucho cuidado en evitar dar esa impresión en lo más mínimo. Observemos las frases que hasta ahora he omitido. Versículo 5: **Nosotros, en cambio,** *por obra del Espíritu* **y mediante la fe, aguardamos con ansias la justicia que es nuestra esperanza** (cursivas añadidas). Es decir, la vida cristiana no solo es una vida de fe; es una vida en el Espíritu, y el Espíritu Santo que mora en nosotros produce buenas obras de amor, como explicará más adelante el apóstol (vv. 22–23). Versículo 6: **la fe** *que actúa mediante el amor* (cursivas añadidas). No es que las obras de amor se agreguen a la fe como terreno secundario y complementario para nuestra aceptación por Dios, sino que la fe que salva es una fe que obra, una fe que se manifiesta en el amor.

2. Maestros falsos y maestros verdaderos | 7–12

En los versículos 1–6 el contraste era entre los pronombres 'ustedes' y 'nosotros' (ustedes los falsos creyentes que quieren agregar la circuncisión a la fe, y nosotros los verdaderos creyentes a quienes nos basta con Cristo y la fe sola). Ahora el contraste es entre **el que los está perturbando** (v. 10b), y el apóstol Pablo que les estoy enseñando la verdad de Dios.

Versículo 7: **Ustedes estaban corriendo bien. ¿Quién los estorbó para que dejaran de obedecer a la verdad?** A Pablo le gustaba asemejar la vida cristiana a una carrera en la pista. Observemos que estar **corriendo bien** en la carrera cristiana no es simplemente creer la verdad (como si el cristianismo no fuera otra cosa que ortodoxia), ni solamente tener buena conducta (como si solo se tratara de rectitud moral), sino de **obedecer a la verdad**, es decir, aplicar lo que se cree a la conducta. Solo quien obedece la verdad es un cristiano íntegro. Lo que cree y cómo se comporta son una sola cosa. Su credo se expresa en su conducta; su conducta deriva de su credo.

Ahora bien, los gálatas habían comenzado su carrera cristiana corriendo bien. Creían la verdad de que Cristo los había hecho libres, y la obedecían, disfrutando la libertad que él les había otorgado. Pero alguien los había estorbado; les habían arrojado obstáculos en el camino para desviarlos de la huella. Los falsos maestros habían desmentido la verdad que habían creído al principio. Como resultado los gálatas habían abandonado a Cristo y habían caído de la gracia.

Pablo analiza todo el curso de la falsa enseñanza, su origen, sus efectos y su fin.

a. Su origen

Versículo 8: **Tal instigación no puede venir de Dios, que es quien los ha llamado.** Los falsos maestros habían persuadido a los gálatas a abandonar la verdad del evangelio, pero esta obra de persuasión no era del Señor que los había llamado. Porque él los había llamado en gracia (Gálatas 1.6), mientras que los falsos maestros estaban diseminando una doctrina de méritos. Este es el primer argumento de Pablo: el mensaje de los falsos maestros era inconsistente con el llamado de los gálatas.

b. Su efecto

Esa herejía **estorbó** a los gálatas (v. 7), y en el versículo 10 el apóstol dice que esa herejía los estaba **perturbando** o 'confundiendo' (NTV). En el versículo 9 usa un proverbio popular: '**Un poco de levadura fermenta toda la masa.**' Es decir, el error de los falsos maestros se estaba diseminando en la comunidad cristiana, contaminando toda la iglesia. Pablo usa el mismo proverbio en 1 Corintios 5.6. Allí lo aplica al pecado en la comunidad cristiana, aquí a la falsa enseñanza. Una de las cosas más graves del mal y el error es que ambos se diseminan.

De modo que, por la causa y el efecto de la falsa enseñanza, porque no provenía de Dios y porque su influencia se estaba diseminando, el apóstol estaba decidido a resistirla.

c. Su fin

Versículo 10: **Yo por mi parte confío en el Señor que ustedes no pensarán de otra manera. El que los está perturbando será castigado, sea quien sea.** Pablo estaba completamente seguro de que el error no triunfaría, sino que los gálatas entrarían en razón y que el falso maestro, por elevada que fuera su posición, caería bajo el juicio de Dios. En realidad, el apóstol estaba tan preocupado por el daño que los falsos maestros estaban haciendo, que llega a expresar el deseo de que **¡Ojalá que esos instigadores acabaran por mutilarse del todo!** (v. 12), o 'se castraran a sí mismos de una vez' (DHH), como los sacerdotes de la diosa pagana Cibeles de Asia Menor. Ese sentimiento que Pablo expresa nos suena un poco torpe y malintencionado. No obstante, podemos estar muy seguros de que no se debió a un espíritu desmedido ni a una sed de venganza, sino a su profundo amor por el pueblo de Dios y por el evangelio de Jesucristo. Me atrevo a decir que si estuviéramos tan preocupados por la Iglesia de Dios y su Palabra como estaba Pablo, nosotros también desearíamos que los falsos maestros desaparecieran de la Tierra.

En el versículo 11 (**Si es verdad que yo …**) el apóstol pasa de ellos (los falsos maestros que estorbaban a los gálatas) a sí mismo (maestro genuino enviado por Dios a los gálatas). Parece que estos maestros se habían atrevido incluso a poner a Pablo como paladín de su visión. Estaban difundiendo el rumor de que Pablo también predicaba y defendía la circuncisión. El apóstol lo niega rotundamente, y continúa presentando pruebas de la falsedad de esa afirmación.

Versículo 11: **Hermanos, si es verdad que yo todavía predico la circuncisión, ¿por qué se me sigue persiguiendo? Si tal fuera mi predicación** (es decir si todavía predicara la circuncisión), **la cruz no ofendería tanto.**

De este modo Pablo se presenta a sí mismo y a los falsos maestros en agudo contraste. Ellos predicaban la circuncisión; él predicaba a Cristo y la cruz. Predicar la circuncisión equivale a decir a los pecadores que pueden salvarse a sí mismos por medio de sus buenas obras; predicar a Cristo crucificado es decirles que no lo pueden hacer y que solo Jesús puede salvarlos por medio de la cruz. El mensaje de la circuncisión es totalmente inofensivo, es popular por ser adulador; en cambio el mensaje de Cristo crucificado es ofensivo al orgullo humano, es impopular porque es poco halagador. Predicar la circuncisión es evitar la persecución; predicar a Cristo crucificado es invitarla. La gente detesta que se le diga que solamente se puede salvar al pie de la cruz, y por eso se oponen a los predicadores que se lo dicen.

Ahora bien, como Pablo era perseguido, argumenta que no predicaba la circuncisión. Por el contrario, como predicaba a Cristo crucificado, seguía en pie la piedra de tropiezo de la cruz. Eran los falsos maestros quienes presionaban a los gálatas a fin de que se circuncidaran, para evitar la persecución por la cruz de Cristo (ver Gálatas 6.12).

La persecución o la oposición son una señal de todo verdadero predicador cristiano. Así lo descubrieron los profetas del Antiguo Testamento, tales como Amós, Jeremías, Ezequiel y Daniel. También lo hicieron los apóstoles del Nuevo Testamento. Y a lo largo de los siglos de la Iglesia cristiana, hasta nuestros días, los predicadores cristianos que se niegan a distorsionar o diluir el evangelio de la gracia han debido sufrir por su fidelidad. La buena nueva de Cristo crucificado sigue siendo un 'escándalo' (en griego *skandalon*, traducido como **no ofendería tanto** en NVI y 'tropiezo' en RVC), profundamente ofensivo al orgullo humano. Nos dice que somos pecadores rebeldes, que estamos bajo la ira y la condenación de Dios, que no podemos hacer nada para salvarnos ni asegurar nuestra salvación, y que solo por medio de Cristo crucificado podemos ser salvos. Si predicamos este evangelio, haremos el ridículo y despertaremos la oposición. Solo si predicamos 'la circuncisión', es decir, los méritos y la suficiencia humana, escaparemos a la persecución y nos haremos populares.

Conclusión

La nuestra es una era de tolerancia. A los hombres les gusta tener lo mejor de cada mundo, y detestan verse forzados a escoger. Se dice comúnmente que no importa lo que crean las personas en tanto sean sinceras, y que no es prudente tratar de aclarar los asuntos a fondo ni enfocarlos con demasiada agudeza.

Pero la religión del Nuevo Testamento es muy diferente de esa actitud mental. El cristianismo no nos permite nadar entre dos aguas ni vivir en una nube; nos desafía a ser definidos y decididos, y en particular a elegir entre el cristianismo y la circuncisión. Esta representa una religión de logros *humanos*, de lo que el hombre puede conseguir con sus propias buenas obras; Cristo en cambio, representa una religión del *logro divino*, de lo que Dios ha hecho por medio de la obra acabada de Cristo. La circuncisión equivale a la ley, las obras y la esclavitud; Cristo equivale a gracia, fe y libertad. Todo hombre debe elegir. Lo que los gálatas intentaban era imposible, es decir, agregar la circuncisión a Cristo y quedarse con ambos. No. La 'circuncisión' y 'Cristo' se excluyen mutuamente.

Además, la elección tiene que ser hecha tanto por la congregación como por los ministros de la iglesia, tanto los que practican como los que difunden la religión. Es Cristo o la circuncisión lo que las personas reciben (v. 2) y es Cristo o la circuncisión lo que los ministros predican (v. 11). En principio, no hay una tercera alternativa.

Y detrás de nuestra elección se esconde nuestra motivación. Es cuando estamos dedicados a halagarnos a nosotros mismos y a adular a otros que elegimos la circuncisión. Ante la cruz no podemos hacer otra cosa que humillarnos.

15

La naturaleza de la libertad cristiana
Gálatas 5.13–15

^{5.13}Les hablo así, hermanos, porque ustedes han sido llamados a ser libres; pero no se valgan de esa libertad para dar rienda suelta a sus pasiones. Más bien sírvanse unos a otros con amor. ¹⁴En efecto, toda la ley se resume en un solo mandamiento: 'Ama a tu prójimo como a ti mismo'. ¹⁵Pero si siguen mordiéndose y devorándose, tengan cuidado, no sea que acaben por destruirse unos a otros.

'Libertad' es una palabra en boca de todos hoy en día. Hay muchas formas diferentes de la palabra, y muchas personas que abogan por ella y le hacen propaganda. Está el nacionalista africano que ha ganado *Uhuru* para su país (la libertad del colonialismo). Está el economista que cree en el libre cambio, la ausencia de tarifas aduaneras. Está el capitalista que reniega de los controles centralizados porque limitan la libre empresa, y está el comunista que lucha por liberar al proletariado de la explotación capitalista. Están las famosas cuatro libertades enunciadas por el presidente Roosevelt en 1941 cuando habló de 'libertad de expresión en todas partes, libertad de culto en todas partes, libertad de penurias en todas partes, y libertad del miedo en todas partes'.

¿Qué clase de libertad es la libertad cristiana? Principalmente, como vimos en el capítulo anterior, es una libertad de conciencia. Según el evangelio cristiano, ningún hombre es completamente libre hasta que Jesucristo lo libera del peso de la culpa. Y Pablo les dice a los gálatas que **han sido llamados a ser libres**. Lo mismo vale para nosotros. Nuestra vida cristiana no comenzó con nuestra decisión de seguir a Cristo, sino con el llamado de Dios a hacerlo. Él tomó la iniciativa en su gracia mientras estábamos aún en rebelión y pecado. En ese estado no queríamos volvernos del pecado a Cristo, ni podíamos hacerlo. Pero él acudió a nosotros y nos llamó a la libertad.

Pablo lo sabía por su propia experiencia, porque el Señor, dice, 'me llamó por su gracia' (1.15). Los gálatas también lo sabían por su propia experiencia; pero el apóstol se quejaba de que habían abandonado muy rápido a Aquel que 'los llamó por la gracia de Cristo' (1.6). Todo cristiano conoce esa libertad hoy día. Si somos cristianos, no es por algún mérito propio, sino por el misericordioso llamado de Dios.

El apóstol le dice a los gálatas, y a nosotros: **han sido llamados a ser libres**. Eso es lo que significa ser cristianos, y es lamentable que el grueso de las personas no lo sepa. La imagen popular del cristianismo que prevalece hoy no es en absoluto la de libertad, sino la de una cruel y limitante esclavitud. Pero el cristianismo no es esclavitud; es un llamado de la gracia a ser libres. Tampoco se trata de un privilegio excepcional para unos pocos creyentes, sino de la herencia común de todo cristiano sin excepción. Es por eso que Pablo agrega **hermanos**. Cada hermana o hermano cristiano ha sido llamado por Dios a la libertad.

¿Qué supone la libertad cristiana? ¿Significa ser libres de todo tipo de restricción y limitación? ¿Es la libertad cristiana otra palabra para decir anarquía? Al apóstol se le adjudicaba enseñar precisamente eso, lo cual era un insulto fácil para sus detractores. Entonces, después de afirmar que hemos sido llamados a la libertad, él se dedica inmediatamente a definir la libertad a la que hemos sido llamados, para despejar los errores y protegerla del abuso irresponsable. Brevemente, consiste en ser libres de la terrible esclavitud de tener que merecer el favor de Dios; pero no es ser liberados de todos los controles.

1. La libertad cristiana no es libertad para consentir la carne | 13

Les hablo así, hermanos, porque ustedes han sido llamados a ser libres; pero no se valgan de esa libertad para dar rienda suelta a sus pasiones. (En el griego, literalmente 'la carne'). En el lenguaje del apóstol Pablo, 'carne' no es lo que recubre nuestro esqueleto óseo, sino nuestra naturaleza humana caída, que heredamos de nuestros antepasados, y que está distorsionada por el egocentrismo y en consecuencia es propensa al pecado. No debemos usar nuestra libertad cristiana para consentir esa 'carne', **para dar rienda suelta a sus pasiones**. La palabra griega que aquí se traduce como **dar rienda suelta** (*aphormē*) se usa en contextos militares para designar el lugar desde donde se lanza una ofensiva, una base de operaciones. En consecuencia, significa una posición ventajosa, y de ahí que sirva de ocasión, oportunidad o pretexto. Nuestra libertad en Cristo no debe ser usada como pretexto para la autocomplacencia.

La libertad cristiana es la libertad *del* pecado, no la libertad *para* pecar. Supone la libertad irrestricta para acercarnos a Dios como hijos, no una libertad irrestricta para regodearnos en el egoísmo. La PDT lo expresa bien: 'Dios los ha llamado para ser libres. Pero no permitan que la libertad sea una excusa para complacer sus deseos perversos'. Efectivamente, esa supuesta 'libertad', una licencia desenfrenada, no es verdadera libertad en absoluto; es otra forma de esclavitud aún más terrible, una esclavitud a los deseos de nuestra naturaleza caída. De manera que Jesús dijo a los judíos: 'Todo el que peca es esclavo del pecado' (Juan 8.34), y Pablo nos describe en nuestra condición previa a la conversión como 'esclavos de todo género de pasiones y placeres' (Tito 3.3).

Hoy en día hay muchos de esos esclavos en nuestra sociedad. Expresan su libertad en voz alta. Hablan del amor libre y de llevar una vida libre, pero en realidad son esclavos de sus propios apetitos, a los que dan rienda suelta sencillamente porque no los pueden controlar.

La libertad cristiana es muy diferente. Lejos de tener libertad para consentir la carne, se dice que los cristianos 'han crucificado la naturaleza pecaminosa, con sus pasiones y deseos' (v. 24). Es decir, hemos rechazado completamente la pretensión de nuestra baja naturaleza de gobernarnos. En una vívida imagen tomada de Jesús, Pablo dice que la hemos crucificado, clavado en una cruz. Ahora procuramos caminar en el Espíritu y se nos promete que si lo hacemos, en lugar de consentir 'los deseos de la naturaleza pecaminosa' (v. 16), el Espíritu Santo hará que sus frutos maduren en nuestra vida, culminando en el dominio propio (v. 23). Analizaremos estos versículos en mayor detalle en el próximo capítulo.

2. La libertad cristiana no es libertad para explotar a mi prójimo | 13b–15

El versículo 13 termina diciendo: **Más bien sírvanse unos a otros con amor**. Así como la libertad cristiana no consiste en hacer lo que me plazca para consentir mi carne, tampoco consiste en hacer cualquier cosa independientemente del bienestar de mi prójimo. Es la libertad para acercarme a Dios sin temor, no para explotar sin amor a mi prójimo.

En realidad, lejos de tener la libertad para ignorar, descuidar o abusar de nuestros prójimos, se nos ordena amarlos, y por medio del amor, servirles. No debemos usarlos como *cosas* para servirnos a nosotros mismos; debemos respetarlos como *personas* y entregarnos a su servicio. Incluso, por medio del amor, debemos hacernos 'esclavos' (LP) unos de otros (en griego *douleuete*), 'no ser un amo con muchos esclavos, sino ser, cada uno, un esclavo pobre con muchos amos'[1], sacrificando nuestro bien por el de otros, no el de los otros por el nuestro. La libertad cristiana es servicio, no egoísmo.

Es una asombrosa paradoja. Porque desde un punto de vista la libertad cristiana es un tipo de esclavitud (no la esclavitud a nuestra carne, sino a nuestro prójimo). Somos libres en relación con Dios, pero esclavos en relación con los demás.

Este es el sentido del amor. Si nos amamos unos a otros, nos serviremos unos a otros; y si nos servimos unos a otros, no nos morderemos ni devoraremos (como expresa el versículo 15) en habladurías o acciones maliciosas. Porque morder y devorar son destructivos, 'conductas más propias de animales salvajes que de hermanos en Cristo'[2] en tanto que el amor es constructivo, sirve al otro. Pablo continúa más adelante (v. 22) describiendo algunas de las marcas del amor, a saber, la 'paciencia', la 'amabilidad', la 'bondad' y la 'fidelidad'. El amor es paciente con quienes nos agravian y nos provocan. El amor tiene pensamientos amables y realiza buenas obras. El amor es fiel, confiable, responsable, digno de confianza. Además, si los cristianos se aman, se ayudarán 'unos a otros a llevar sus cargas' (6.2). Porque el amor nunca es mezquino ni acaparador. Siempre es abierto, nunca posesivo. Amar verdaderamente a alguien no es poseerlo para uno mismo sino servirle por sí mismo.

3. La libertad cristiana no es libertad para ignorar la ley | 14

En efecto, toda la ley se resume en un solo mandamiento: 'Ama a tu prójimo como a ti mismo.' Debemos observar con cuidado lo que dice el apóstol. No dice, como afirman algunos que sustentan la 'nueva moral', que si nos amamos unos a otros podemos *quebrantar* tranquilamente la ley por el bien del amor, sino que si nos amamos unos a otros *cumpliremos* la ley, porque **toda la ley se resume en este mandamiento: 'Ama a tu prójimo como a ti mismo.'**

¿Cuál es la relación cristiana con la ley? La así llamada 'nueva moral' nos obliga a considerar la pregunta con cierta urgencia. Es cierto que Pablo nos dice que, si somos cristianos, y hemos sido librados de la esclavitud de la ley, ya no estamos bajo la ley, y que no debemos volver a someternos al 'yugo de la esclavitud' que es la ley (v. 1). Pero debemos esforzarnos por captar realmente lo que significan estas expresiones. Nuestra libertad cristiana frente a la ley, que Pablo resalta, tiene que ver con nuestra relación con Dios. Significa que nuestra aceptación no depende de nuestra obediencia a las exigencias de la ley, sino de la fe en Jesucristo que llevó la maldición de la ley cuando murió. Ciertamente no significa que somos libres de ignorar o desobedecer la ley.

Por el contrario, aunque no podemos ganar nuestra aceptación cumpliendo con la ley, cuando hemos sido aceptados debemos cumplir con ella por amor a Aquel que nos aceptó y que nos ha dado su Espíritu para permitirnos cumplirla. En el lenguaje del Nuevo Testamento, aunque nuestra justificación no depende de la ley sino de Jesucristo crucificado, nuestra santificación consiste justamente en el cumplimiento de la ley. Ver Romanos 8.3–4.

De hecho, si nos amamos unos a otros y amamos a Dios, descubriremos que obedecemos su ley porque toda la ley del Señor —por lo menos la segunda tabla de la ley que se relaciona con la responsabilidad para con nuestro prójimo— se cumple en este punto: **'Ama a tu prójimo como a ti mismo.'** El asesinato, el adulterio, el hurto, la codicia y el falso testimonio son todas infracciones de esta ley del amor. Pablo dice lo mismo en 6.2: 'Ayúdense unos a otros a llevar sus cargas, y así cumplirán la ley de Cristo'.

Conclusión

Este párrafo habla de manera pertinente a la situación contemporánea en el mundo y en la Iglesia, especialmente con relación a la 'nueva moral' y el moderno rechazo a la autoridad. Se vincula con la relación entre la libertad, la ley y el amor.

Nos dice de entrada que somos **llamados a ser libres**, esa libertad que significa la paz con Dios, el lavado de nuestra conciencia por medio de la fe en Cristo crucificado, el indecible gozo por el perdón y la aceptación, el acceso al Señor, la condición de hijos suyos y la experiencia de la gracia en ausencia de méritos.

Sigue describiendo cómo esta libertad respecto de los sistemas meritorios se expresa en nuestra responsabilidad para con nosotros mismos, nuestros prójimos y nuestro Dios. No es una libertad para consentir las pasiones (la carne), sino para controlarlas; no es una libertad para explotar a nuestro prójimo sino para servirle; no es una libertad para ignorar la ley, sino para cumplirla. Todo el que ha sido verdaderamente liberado por Jesucristo expresa su libertad de estas tres maneras: primero con dominio propio, segundo en amoroso servicio hacia su prójimo, y tercero en obediencia a la ley de su Dios.

Esta es la libertad con que 'Cristo nos liberó para que vivamos' (v. 1) y a la que hemos sido llamados. Debemos mantenernos firmes en ella; por un lado no caer nuevamente en la esclavitud y por el otro, no caer tampoco en el libertinaje.

16

La naturaleza pecaminosa y el Espíritu
Gálatas 5.16–25

5.16 Así que les digo: Vivan por el Espíritu, y no seguirán los deseos de la naturaleza pecaminosa. 17 Porque ésta desea lo que es contrario al Espíritu, y el Espíritu desea lo que es contrario a ella. Los dos se oponen entre sí, de modo que ustedes no pueden hacer lo que quieren. 18 Pero si los guía el Espíritu, no están bajo la ley.

19 Las obras de la naturaleza pecaminosa se conocen bien: inmoralidad sexual, impureza y libertinaje; 20 idolatría y brujería; odio, discordia, celos, arrebatos de ira, rivalidades, disensiones, sectarismos 21 y envidia; borracheras, orgías, y otras cosas parecidas. Les advierto ahora, como antes lo hice, que los que practican tales cosas no heredarán el reino de Dios.

22 En cambio, el fruto del Espíritu es amor, alegría, paz, paciencia, amabilidad, bondad, fidelidad, 23 humildad y dominio propio. No hay ley que condene estas cosas. 24 Los que son de Cristo Jesús han crucificado la naturaleza pecaminosa, con sus pasiones y deseos. 25 Si el Espíritu nos da vida, andemos guiados por el Espíritu.

El principal acento en la segunda mitad de la epístola a los Gálatas es que en Cristo la vida es libertad. Éramos esclavos bajo la maldición o condenación de la ley, pero él nos ha puesto en libertad. Éramos esclavos del pecado, pero ahora somos hijos de Dios.

Sin embargo, cada vez que Pablo escribe sobre la libertad agrega la advertencia de que esta se puede perder fácilmente. Algunos recaen de la libertad a la esclavitud (5.1); otros convierten su libertad en libertinaje (5.13). Este es el tema del apóstol en los últimos dos párrafos que hemos analizado. En particular, en los versículos 13–15 ha subrayado que la verdadera libertad cristiana se expresa en dominio propio, amoroso servicio a nuestro prójimo y obediencia a la ley de Dios. Ahora la pregunta es ¿cómo se logran esas cosas? Y la respuesta es: por medio del Espíritu Santo. Solo el Espíritu puede mantenernos verdaderamente libres.

Esta sección en la que Pablo desarrolla este tema está llena del Espíritu Santo. Se lo menciona siete veces en forma directa. Se lo presenta como nuestro Santificador, el único que puede oponerse a nuestra naturaleza pecaminosa y dominarla (vv. 16–17), darnos poder para cumplir la ley a fin de que seamos librados de su fuerte dominio (v. 18) y producir el crecimiento del fruto de la justicia en nuestra vida (vv. 22–23). De manera que el disfrute de la libertad cristiana depende del Espíritu Santo. Efectivamente, es Cristo quien nos pone en libertad. Pero sin la continua obra guiadora y santificadora del Espíritu Santo, nuestra libertad tiende a degenerar en libertinaje.

El tema de este párrafo se puede dividir en dos partes que titularemos 'el conflicto cristiano' y 'el camino de la victoria cristiana'.

1. El conflicto cristiano | 16–23

Los combatientes en el conflicto cristiano son 'la carne' y 'el Espíritu'. Versículos 16–17: **Así que les digo: Vivan por el Espíritu, y no seguirán** ('no cumplirán', NBLH) **los deseos de la naturaleza pecaminosa. Porque ésta desea lo que es contrario al Espíritu, y el Espíritu desea lo que es contrario a ella** .... Por 'naturaleza pecaminosa' Pablo entiende todo lo que somos por naturaleza y herencia, nuestra condición caída, lo que la RVC y BA traducen literalmente como 'carne'. Por 'el Espíritu' el apóstol parece referirse al Espíritu Santo mismo que nos renueva y nos regenera, dándonos primero una nueva naturaleza y luego morando en nosotros. Más sencillamente, podemos decir que 'la carne' representa lo que somos por nuestro nacimiento natural, 'el Espíritu' lo que llegamos a ser por el nuevo nacimiento, el nacimiento del Espíritu. Y ambos, la carne y el Espíritu se oponen agudamente entre sí.

Algunos maestros enseñan que los cristianos carecen de conflictos internos, que no hay una guerra civil interior porque (dicen) la carne ha sido erradicada y la vieja naturaleza ha muerto. Este pasaje contradice esa postura. Los cristianos, en la expresión gráfica de Lutero, 'no son de piedra', es decir, personas a las que 'nada les afecta, jamás tienen lujuria ni deseos de la carne'.[1] Ciertamente, a medida que aprendemos a caminar en el Espíritu, vamos dominando la carne cada vez más. Pero la carne y el Espíritu se mantienen, y el conflicto entre ellos es feroz y sin tregua. En efecto, uno puede ir más allá y afirmar que es un conflicto específicamente cristiano. No negamos que haya algo como un conflicto moral en las personas no cristianas, pero afirmamos que es más duro para los cristianos porque poseen dos naturalezas —la carne y el Espíritu— en irreconciliable antagonismo.

Ahora debemos considerar el tipo de conducta a la que son propensas las dos naturalezas.

a. Las obras de la carne | 19–21

Las obras de la naturaleza pecaminosa se conocen bien, dice Pablo. Son evidentes para todos. La carne misma, es decir nuestra vieja naturaleza, es secreta e invisible, pero sus obras, las obras y los hechos en los que se expresa, son públicas y evidentes. ¿Cuáles son?

Antes de mirar la lista de 'las obras de la naturaleza pecaminosa', tenemos que decir algo más sobre la expresión 'la lujuria de la carne' como aparece en algunas versiones inglesas o 'los deseos de la carne' en traducciones en nuestro idioma (v. 16). Es lamentable que esta expresión haya llegado a tener en una connotación que el equivalente en griego no tenía. En nuestros días 'lujuria' significa 'deseo sexual desenfrenado' y 'carne' equivale a 'cuerpo', de tal forma que 'la lujuria de la carne' y 'los pecados de la carne' son (en el lenguaje común) los que se vinculan con nuestros apetitos corporales. Pero para Pablo el significado es mucho más amplio. Para él 'la lujuria de la carne' son todos los deseos pecaminosos de nuestra naturaleza caída. Su feo catálogo de 'las obras de la naturaleza pecaminosa' despeja cualquier duda.

Eso no significa que su lista sea exhaustiva, porque termina diciendo 'y otras cosas parecidas' (v. 21). Pero las que incluye parecen pertenecer por lo menos a cuatro ámbitos: el sexo, la religión, los vínculos sociales y la bebida.

Primero, el ámbito del sexo: **inmoralidad sexual, impureza y libertinaje** (v. 19). La palabra para 'inmoralidad sexual' generalmente se traduce como 'fornicación' refiriéndose al intercambio sexual entre personas no casadas, pero podría aludir a cualquier tipo de conducta sexual ilícita. Tal vez la palabra 'impureza' debería traducirse como 'vicio antinatural'[2] y la última expresión se refiere a la 'indecencia', que alude a un 'concepto abierto e inapropiado del decoro'.[3] Estas tres expresiones son suficientes para mostrar que todas las ofensas sexuales, ya sean públicas o privadas, entre casados o entre no casados, ya sean 'naturales' o 'antinaturales' deben clasificarse como obras de la naturaleza pecaminosa.

Segundo, el ámbito de la religión: **idolatría y brujería** (v. 20). "Es importante ver que la idolatría es tan obra de la carne como la inmoralidad, y que por eso las obras de la carne incluyen ofensas contra Dios lo mismo que contra nuestro vecino y contra nosotros mismos. Si 'idolatría' es la descarada adoración de otros dioses, la 'hechicería' es la manipulación de los poderes del diablo".[4]

Tercero, el ámbito de los vínculos sociales. Pablo nos da ahora ocho ejemplos de ruptura de las relaciones personales: **odio, discordia, celos, arrebatos de ira, rivalidades** (o 'arranques de furia' e 'intrigas partidarias'[5]), **disensiones, sectarismos y envidia** (vv. 20–21).

Cuarto, el ámbito de la bebida: **borracheras, orgías** (o 'fiestas desenfrenadas', NTV, v. 21).

A esta lista de obras de la naturaleza pecaminosa en los ámbitos del sexo, la religión, la sociedad y la bebida, el apóstol agrega una grave advertencia (vv. 20–21): **Les advierto ahora,** escribe, **como antes lo hice** (cuando estuvo con ellos en Galacia), **que los que practican tales cosas** (el verbo *prassontes* se refiere a una práctica habitual más que a una ocasión aislada) **no heredarán el reino de Dios.** Como el reino de Dios es un reino de bondad, justicia y dominio propio, los que consienten las obras de la carne quedarán excluidos del mismo. Porque esas obras son la evidencia de que no están en Cristo. Y si no están en él, no son la descendencia de Abraham, ni 'herederos según la promesa' (3.29). Para otras referencias acerca de nuestra herencia en Cristo, la esperada o la perdida, ver Gálatas 4.7, 30.

b. El fruto del Espíritu | 22–23

Aquí tenemos un grupo de nueve dones cristianos que parecen describir la actitud de un cristiano hacia Dios, hacia otras personas y hacia sí mismo.

Amor, alegría, paz. Es una tríada de virtudes cristianas generales. No obstante, parecen vincularse principalmente con nuestra actitud hacia el Señor, porque el primer amor de un cristiano es su amor a Dios, su principal gozo es su gozo en él, y su más profunda paz es la paz con Dios.

A continuación, **paciencia, amabilidad, bondad.** Estas son virtudes sociales, dirigidas hacia los prójimos más que hacia el Señor. 'Paciencia' es soportar a quienes nos ofenden o nos persiguen. 'Amabilidad' es un asunto de disposición, y la 'bondad' se expresa en las palabras y en las actitudes.

La tercera tríada es **fidelidad, humildad y dominio propio.** La 'fidelidad' parece expresar la fiabilidad de un cristiano. La 'humildad' es esa docilidad que Cristo mostró (Mateo 11.29; 2 Corintios 10.1). Y ambos son aspectos del 'dominio propio' que completa la lista.

Podríamos decir, entonces, que la orientación principal de 'amor, alegría, paz' es hacia Dios; de 'paciencia, amabilidad, bondad' hacia el hombre, y de 'fidelidad, humildad y dominio propio' hacia uno mismo. Y todos son 'el fruto del Espíritu', el producto natural que aparece en la vida de los cristianos guiados por el Espíritu. No es de extrañar que Pablo agregue una vez más (v. 23): **No hay ley que condene estas cosas.** Porque la función de la ley es frenar, impedir, detener, y aquí no hace falta ninguna fuerza disuasoria.

Habiendo examinado 'las obras de la naturaleza pecaminosa' y 'el fruto del Espíritu' por separado, ahora deberíamos tener más en claro que 'la naturaleza pecaminosa' y 'el Espíritu' están en permanente conflicto entre sí. Tiran en direcciones opuestas. Hay entre ambos 'una enemistad mortal e interminable'.[6] Y el resultado de ese conflicto es 'que ustedes no pueden hacer lo que quieren' (final del v. 17). El paralelo entre esta pequeña frase y la segunda parte de Romanos 7 es, a mi juicio, demasiado evidente para ser accidental. Todo cristiano renovado puede decir 'en lo íntimo de mi ser me deleito en la ley de Dios' (Romanos 7.22). Es decir, 'Amo la ley de Dios y anhelo cumplirla. Mi nueva naturaleza tiene sed de Dios, de santidad y de bondad. Quiero ser bueno y hacer el bien'. Ese es el lenguaje de todo creyente regenerado. 'Pero', tiene que añadir, 'incluso con esos nuevos deseos, no puedo hacer por mí mismo lo que quiero hacer. ¿Por qué no? Por el pecado que mora en mí'. O, como lo expresa aquí en Gálatas 5 el apóstol, 'la naturaleza pecaminosa … desea lo que es contrario al Espíritu'.

Este es el conflicto cristiano: duro, amargo y permanente. Además, es un conflicto en el que el cristiano no puede alcanzar *por sí mismo* la victoria. Está obligado a decir 'aunque deseo hacer lo bueno, no soy capaz de hacerlo' (Romanos 7.18) o, hablando como para sí mismo 'no puedo hacer lo que quiero hacer' (Gálatas 5.17).

Algún lector perplejo preguntará: "¿Eso es todo? La trágica confesión de que 'no puedo hacer lo que quiero hacer' ¿es la última palabra acerca del conflicto moral interior de los cristianos? ¿Es esto todo lo que ofrece el cristianismo… una experiencia de continua derrota?". En realidad, no. Si se nos abandonara a nosotros mismos, no podríamos hacer lo que con sinceridad queremos; sucumbiríamos a los deseos de nuestra vieja naturaleza. Pero si seguimos el mandato 'Vivan por el Espíritu' (v. 16), *entonces* no sucumbiremos a los deseos de la carne. Los seguiremos experimentando, pero no los consentiremos. Por el contrario, llevaremos los frutos del Espíritu.

2. El camino de la victoria cristiana | 24– 25

¿Qué debemos hacer para controlar la lujuria de la naturaleza pecaminosa y llevar los frutos del Espíritu? La breve respuesta es la siguiente: Debemos tener unos con otros la adecuada actitud cristiana. En las palabras del apóstol mismo, debemos 'crucificar' la carne y 'andar en' el Espíritu.

a. Debemos crucificar la carne

La frase aparece en el versículo 24: **Los que son de Cristo Jesús han crucificado la naturaleza pecaminosa, con sus pasiones y deseos.** Con frecuencia se interpreta mal este pasaje. Tomemos nota de que la 'crucifixión' de la carne que se describe aquí no es algo que se nos hace *a nosotros*, sino algo hecho *por nosotros*. De nosotros es que dice **han crucificado la naturaleza pecaminosa.** A lo mejor puedo exponer con más claridad el error popular diciendo que Gálatas 5.24 no trata sobre la misma verdad que Gálatas 2.20 o Romanos 8.6. En esos versículos se nos dice que por la unión de la fe con Cristo hemos sido crucificados con él. Pero aquí somos nosotros los que tenemos la iniciativa de la acción. Hemos crucificado nuestra vieja naturaleza. No es una 'muerte' lo que hemos experimentado por nuestra unión con Cristo; más bien es una deliberada 'ejecución'.

¿Qué significa esto? Pablo toma la imagen de la crucifixión, por supuesto, de Cristo mismo, quien dijo: 'Si alguien quiere ser mi discípulo ..., que se niegue a sí mismo, lleve su cruz y me siga' (Marcos 8.34). 'Llevar la cruz' era la vívida figura verbal que usaba el Señor para el sacrificio de uno mismo. Todo seguidor de Cristo debe vivir como un criminal condenado y llevar su cruz al lugar de la ejecución. Ahora el apóstol lleva la metáfora a su conclusión lógica. No solamente debemos tomar nuestra cruz y caminar con ella, en realidad debemos ocuparnos de que la ejecución se lleve a cabo. Efectivamente, debemos tomar la carne, nuestro obstinado y díscolo yo y (metafóricamente hablando) clavarlo en la cruz. Esta es la descripción gráfica que hace Pablo del arrepentimiento, de volver la espalda a nuestra antigua vida de egoísmo y pecado, repudiándola total y definitivamente.

El hecho de que el destino de la carne sea la 'crucifixión' es muy significativo. Siempre es arriesgado argumentar en base a una analogía, pero yo sugiero que los puntos siguientes, lejos de ser pura imaginación, pertenecen al concepto de crucifixión y no pueden separarse de ella.

Primero, el rechazo que hace un cristiano de su antigua naturaleza tiene que ser *despiadado*. La crucifixión en el mundo grecorromano no era una forma placentera de ejecución, ni se administraba a personas agradables o refinadas; estaba reservada a los peores criminales, y por eso era tan vergonzoso que Jesucristo fuera crucificado. Entonces, si hemos de 'crucificar' nuestra carne, está claro que la carne no es algo respetable que merezca ser tratado con cortesía y deferencia, sino algo tan malo que no merece otra cosa que la crucifixión.

Segundo, nuestro rechazo de la antigua naturaleza será *doloroso*. La crucifixión era una forma de ejecución 'donde se asistía a un intenso sufrimiento' (Grimm-Thayer). Y ¿quién de nosotros no conoce el agudo dolor del conflicto interno cuando se renuncia a 'los efímeros placeres del pecado' (Hebreos 11.25)?

Tercero, el rechazo de nuestra antigua naturaleza tiene que ser *contundente*. Aunque la muerte por crucifixión era prolongada, era una muerte segura. Los criminales que eran clavados en la cruz no sobrevivían. John Brown explicita el significado que tiene ese hecho para nosotros: 'La crucifixión ... no producía la muerte en forma repentina sino gradual ... Los verdaderos cristianos ... no logran destruirla (es decir, a la carne) mientras viven aquí abajo; pero la han clavado en la cruz, y están decididos a mantenerla allí hasta que expire'.[7] Una vez que el criminal era clavado en la cruz, se lo abandonaba allí hasta que moría. En la escena de la ejecución se apostaban soldados para vigilar a la víctima. Su tarea era evitar que alguno intentara bajarla de la cruz, por lo menos hasta que estuviera muerta. Ahora bien, dice Pablo, **los que son de Cristo Jesús han crucificado la naturaleza pecaminosa, con sus pasiones y deseos.** El verbo griego está en tiempo aoristo, indicando que es algo que hemos hecho en forma decisiva al momento de la conversión. Cuando acudimos a Jesucristo nos arrepentimos. 'Crucificamos' todo aquello que sabíamos estaba mal. Tomamos nuestra antigua naturaleza egocéntrica, con todas sus pasiones y deseos pecaminosos, y la clavamos en la cruz. Y este arrepentimiento fue decisivo, tan decisivo como una crucifixión. El apóstol entonces dice que si hemos crucificado la carne, debemos dejarla allí hasta la muerte. Debemos renovar cada día esta actitud de inflexible e inexorable rechazo al pecado. En el lenguaje de Jesús, como lo registra Lucas, que el cristiano 'lleve su cruz *cada día*' (Lucas 9.23, cursivas añadidas).

Esta enseñanza bíblica se ha descuidado tan ampliamente, que hace falta reforzarla más. El primer gran secreto de la santidad se basa en el grado de determinación de nuestro arrepentimiento. Si nos acosan continuamente pecados acuciantes, es porque nunca nos hemos arrepentido verdaderamente o porque, habiéndonos arrepentido, no hemos mantenido nuestro arrepentimiento. Es como si, habiendo clavado en la cruz nuestra antigua naturaleza, volviéramos ilusoriamente a la escena de la ejecución. Comenzamos a acariciarla, a anhelar su liberación, incluso a tratar de bajarla de la cruz. Tenemos que aprender a dejarla allí. Cuando nos invade un pensamiento celoso, orgulloso, malicioso, o impuro, debemos echarlo de una vez. Es fatal comenzar a examinarlo y considerar si habremos de ceder o no. Le hemos declarado la guerra; no cabe reiniciar las negociaciones. Hemos cerrado definitivamente el caso, no volveremos a abrirlo. Hemos crucificado la carne, no volveremos a quitar los clavos.

b. Debemos andar en el Espíritu

Pasamos ahora a la actitud que debemos adoptar para con el Espíritu Santo. Se la describe de dos maneras. Primero, 'si los guía el Espíritu' (v. 18). Segundo, 'Vivan por el Espíritu' (v. 16) o **andemos guiados por el Espíritu** (v. 25). En ambas expresiones del texto griego **el Espíritu** aparece primero, para destacarlo, y se usa un simple dativo (no hay preposiciones, ni 'en' ni 'por'), y el verbo está en tiempo presente continuo. A la misma vez hay una clara diferencia entre ser *guiados* por el Espíritu y *andar* en el Espíritu, ya que la primera expresión está en forma pasiva mientras que la segunda está en forma activa. Es el Espíritu el que guía, pero nosotros somos los que andamos.

Primero, entonces, los cristianos se describen como aquellos que 'guía el Espíritu'. El verbo es el que se usa para un granjero que va conduciendo el rebaño, para un pastor que conduce sus ovejas, para un soldado que escolta a los prisioneros hasta la corte o la prisión, o para el viento que empuja un barco. Se usa metafóricamente tanto para espíritus buenos como malos: para el poder maligno de Satanás que lleva a los seres humanos por mal camino (por ejemplo 1 Corintios 12.2; Efesios 2.2) y para el Espíritu Santo que condujo a Cristo durante sus tentaciones en el desierto (Lucas. 4.1, 2) y hoy guía a los hijos de Dios (Romanos 8.14). Como 'líder' el Espíritu Santo tiene la iniciativa. Él afirma su voluntad contra los deseos de la naturaleza pecaminosa (v. 17) y pone en nosotros deseos santos y celestiales. Nos presiona suavemente y sentimos la necesidad de someternos a su guía y su control.

> Suya es esa dulce voz que escuchamos,
> suave como una respiración acompasada,
> que evita cada error, calma cada temor,
> y del cielo nos habla.
> Cada virtud que poseemos,
> cada victoria que ganamos,
> cada idea pura que pensamos,
> solo suyos son.

No obstante es un gran error suponer que nuestra tarea consiste solamente en la pasiva sumisión al control del Espíritu, como si todo lo que tuviéramos que hacer fuera rendirnos a su liderazgo. Por el contrario, a nosotros nos toca 'andar' activa y determinadamente, en la dirección correcta. Y el Espíritu es el sendero por el que caminamos, lo mismo que el guía que nos señala el camino.

Esto queda claro cuando se comparan cuidadosamente entre sí los versículos 16 y 25. En ambos versículos se suele traducir con el mismo verbo 'andar', pero en el griego las palabras son diferentes. El verbo del versículo 16 ('vivan') es el que se usa normalmente para 'caminar', pero el del versículo 25 (*stoicheō*) se refiere literalmente a personas que están ubicadas en línea. Es decir, significa 'caminar en línea' o 'estar en línea con'. Se usa para creyentes que al compartir la fe de Abraham se dice de ellas que 'caminan en línea' con sus huellas, o siguen su ejemplo (Romanos 4.12). De manera similar, describe a los cristianos que 'andan en línea con' la posición que han alcanzado (Filipenses 3.16), o los requerimientos de la ley (Hechos 21.14), o la verdad del evangelio (Gálatas 6.16). En cada uno de los casos mencionados hay una regla, un patrón o un principio, que se está siguiendo. En 5.25 (**andemos guiados**) esta 'regla' o 'línea' es el Espíritu Santo mismo y su voluntad. Así es que 'andar en el Espíritu' es andar deliberadamente por el sendero o en la línea que él ha marcado. El Espíritu 'nos guía', pero nosotros debemos 'caminar en' o según su regla.

Por lo tanto, así como **han crucificado la naturaleza pecaminosa** (v. 24), rechazando lo que sabemos que está mal, los cristianos también debemos andar **guiados por el Espíritu** (v. 25), siguiendo lo que sabemos que está bien. Rechazamos un camino para seguir otro. Nos apartamos de lo que está mal para ocuparnos de lo que está bien. Y si es necesario que seamos inflexibles en apartarnos de las cosas de la carne, es igualmente vital que seamos disciplinados en orientarnos hacia lo que es del Espíritu. Las Escrituras dicen que debemos 'pensar en las cosas que agradan al Espíritu', 'poner la mira en las verdades del cielo', 'pensar en las cosas del cielo', 'concentrarnos en todo lo que es verdadero' (es decir, todo lo honorable, todo lo justo, todo lo puro, todo lo bello, y todo lo admirable).[8]

Eso se observará en toda nuestra forma de vida: en los pasatiempos que escojamos, los libros que leamos y los amigos que tengamos. Sobre todo en lo que los antiguos autores denominaban 'un uso diligente de los medios de la gracia', es decir, en una práctica disciplinada de la oración, la meditación en las Escrituras, la comunión con los creyentes que nos instan a amar y hacer buenas obras, en guardar el día del Señor como tal, y en asistir a la adoración pública y la Cena del Señor. De todas esas formas nos ocupamos de las cosas espirituales. No basta con someternos pasivamente al control del Espíritu; también debemos andar activamente en su camino. Solo así aparecerán los frutos del Espíritu.

Conclusión

Hemos visto que las obras de la naturaleza pecaminosa son muchas y malas, que los frutos del Espíritu son hermosos y deseables, que la carne y el Espíritu están en continuo conflicto entre sí, de tal manera que no podemos, por nosotros mismos, hacer lo que queremos hacer; y que debemos crucificar la naturaleza pecaminosa, rechazando sus malos caminos, y andar en el Espíritu, siguiendo su buen camino.

Esta victoria está al alcance de todo cristiano, porque todo cristiano ha **crucificado la naturaleza pecaminosa** (v. 24) y todo cristiano anda **guiado por el Espíritu** (v. 25). Nuestra tarea es tomarnos el tiempo cada día para recordar estas verdades acerca de nosotros mismos, y vivir de acuerdo con ello. Si hemos crucificado la carne (cosa que hemos hecho), entonces debemos dejarla firmemente clavada en la cruz, donde merece estar; no debemos tocar los clavos. Y si vivimos en el Espíritu (cosa que hacemos) entonces debemos andar en él. Entonces, cuando surja el mal genio con sus nefastas insinuaciones, debemos hacerle frente ferozmente, y decirle: 'Pertenezco a Cristo. He crucificado la carne. Me es totalmente imposible siquiera pensar en bajarla de la cruz'. O bien, 'Pertenezco a Cristo. El Espíritu vive en mí. De modo que me concentraré en las cosas del Espíritu y andaré en él, de acuerdo a sus reglas y siguiendo su línea, día tras día'.

17

Relaciones cristianas recíprocas
Gálatas 5.26—6.5

^{5.26}No dejemos que la vanidad nos lleve a irritarnos
y a envidiarnos unos a otros.

^{6.1}Hermanos, si alguien es sorprendido en pecado, ustedes
que son espirituales deben restaurarlo con una actitud
humilde. Pero cuídese cada uno, porque también puede
ser tentado. ²Ayúdense unos a otros a llevar sus cargas,
y así cumplirán la ley de Cristo. ³Si alguien cree ser algo,
cuando en realidad no es nada, se engaña a sí mismo.
⁴Cada cual examine su propia conducta; y si tiene
algo de qué presumir, que no se compare con nadie.
⁵Que cada uno cargue con su propia responsabilidad.

En Gálatas 5.16-25 el apóstol Pablo ha descripto tanto el conflicto cristiano entre la carne y el Espíritu como el camino a la victoria mediante la crucifixión de la carne y el andar en el Espíritu.

Gálatas 5.26—6.5 describe uno de los resultados prácticos de esta victoria. Tiene que ver con nuestras relaciones personales, especialmente con los demás creyentes en la congregación. Esto se ve claro en las exhortaciones de los versículos 25 y 26. Versículo 25: 'Si el Espíritu nos da vida, andemos guiados por el Espíritu.' Versículo 26: No dejemos que la vanidad nos lleve a irritarnos y a envidiarnos unos a otros. Efesios 5.18 y siguientes es similar, donde el resultado del mandamiento 'Sean llenos del Espíritu' incluye 'anímense unos a otros' y 'sométanse unos a otros'. Ambos pasajes muestran que la primera y gran evidencia de andar en el Espíritu o ser llenos de él no es alguna experiencia mística individual, sino nuestras relaciones con otras personas, el amor que se expresa en forma práctica. Y como el primer fruto del Espíritu es el amor, esto es lo lógico.

Pero es fácil hablar del 'amor' de manera abstracta y general: mucho más difícil es bajar a las situaciones concretas y particulares en las que realmente demostramos nuestro amor unos con otros. Pablo desarrolla algo de esto a continuación. Nos dice cómo debemos y no debemos actuar unos con otros, si andamos en el Espíritu.

1. Cómo no deben tratarse los cristianos entre sí | 26

No dejemos que la vanidad nos lleve a irritarnos y a envidiarnos unos a otros. Este es un versículo muy instructivo porque muestra que nuestra conducta hacia otros está determinada por la opinión que tenemos de nosotros mismos. Es cuando tenemos 'vanidad' que provocamos y envidiamos a otros. Esta palabra (el adjetivo griego *kenodoxos*) denota una persona que tiene una opinión hueca, vanidosa, o falsa de sí misma. Alberga una ilusión sobre sí, o sencillamente es engreída. Ahora bien, cuando somos engreídos nuestras relaciones con otras personas están condenadas a estropearse. En realidad, cada vez que las relaciones con otras personas se deterioran, casi siempre la causa básica es la vanidad. Según Pablo, cuando somos vanidosos, tendemos a hacer una de dos cosas: nos 'irritamos' unos a otros o nos 'envidiamos' unos a otros.

Primero nos irritamos unos a otros. El verbo en griego (*prokaleō*) es único en el Nuevo Testamento. Significa 'desafiar' a alguien a un combate. Supone que estamos tan seguros de nuestra superioridad que queremos demostrarla. De modo que desafiamos a las personas a disputarla para darnos una oportunidad de demostrarla. Segundo, nos envidiamos unos a otros, tenemos celos de los dones o los logros de otros.

Lo que escribe aquí el apóstol es totalmente verdadero en nuestra propia experiencia. Hablando en general, adoptamos entre nosotros una de las dos actitudes. Nos motivan sentimientos ya sea de inferioridad o de superioridad. Si nos consideramos superiores a otras personas las desafiamos porque queremos que conozcan y experimenten nuestra superioridad. Si, en cambio, nos consideramos inferiores a otros, los envidiamos. En ambos casos nuestra actitud se debe a la 'vanidad', a tener una opinión tan ilusoria sobre nosotros mismos que no podemos soportar rivales.

Muy diferente es ese amor que es fruto del Espíritu, que muestran los cristianos cuando andan en él. Esas personas no tienen vanidad, o más bien están continuamente buscando dominarla por medio del Espíritu. No piensan de sí mismas mejor de lo que deberían pensar; piensan de sí 'con moderación' (Romanos 12.3). El Espíritu Santo les ha abierto los ojos para ver tanto su propio pecado e indignidad, como la importancia y el valor de otras personas a los ojos de Dios. Las personas que tienen ese amor consideran a otras como 'más importantes' y aprovechan toda oportunidad para servirles.[1]

Para resumir, entonces, las relaciones verdaderamente cristianas no están gobernadas por la rivalidad sino por el servicio. La actitud correcta hacia otras personas no es 'soy mejor que tú y te lo voy a demostrar', ni 'eres mejor que yo y estoy resentido por eso', sino 'eres una persona que vales por ti misma (porque Dios te ha creado a su propia imagen y Cristo murió por ti) y es mi privilegio y mi placer servirte'.

2. Cómo deben tratarse entre sí los cristianos | 2–5

El principio general lo provee Gálatas 6.2: **Ayúdense unos a otros a llevar sus cargas, y así cumplirán la ley de Cristo.**

Observemos el supuesto que hay detrás de este mandamiento: todos tenemos cargas y Dios no pretende que las llevemos solos. Algunas personas intentan hacerlo. Piensan que es señal de fortaleza no molestar a otras personas con sus cargas. Esa fortaleza es ciertamente una muestra de valentía. Pero es más estoica que cristiana. Otros señalan que se nos dice en el Salmo 55.22 'Encomienda al Señor tus afanes, y él te sostendrá', y que el Señor Jesucristo invitó a los 'cansados y agobiados' a acudir a él porque promete darles descanso (Mateo 11.28). Con eso afirman que tenemos un cargador divino suficientemente adecuado, y que es señal de debilidad buscar ayuda humana. Este también es un error lamentable. Es verdad que Jesús puede llevar por sí solo la carga de nuestro pecado y nuestra culpa; lo llevó en su propio cuerpo cuando murió por nosotros en la cruz. Pero no es así con nuestras otras cargas: nuestras preocupaciones, tentaciones, dudas y tristezas. Ciertamente también podemos poner todas estas cargas sobre el Señor. Podemos depositar en él *todas* nuestras ansiedades porque él cuida de nosotros (1 Pedro 5.7). Pero recordemos que una de las maneras en que él lleva nuestras cargas es a través de la amistad humana. Un ejemplo asombroso de este principio lo da la carrera del apóstol Pablo. En un momento de su vida llevaba una terrible carga. Estaba mortalmente preocupado por la iglesia corintia y en particular por su reacción a una carta un tanto severa que les había escrito. Su mente no tenía descanso, tan grande era su ansiedad. 'Nos vimos acosados por todas partes; conflictos por fuera, temores por dentro', escribió. Y continuó: 'Pero Dios, que consuela a los abatidos, nos consoló con la llegada de Tito' (2 Corintios 7.5–6). El consuelo de Dios no le fue dado a Pablo por medio de su oración privada o por descansar en el Señor, sino por medio del compañerismo de un amigo y las buenas noticias que este trajo.

La amistad humana, sobre la que ponemos las cargas los unos de los otros, es parte del propósito de Dios para su pueblo. De modo que no debemos retener nuestras cargas para nosotros mismos, sino más bien buscar amigos cristianos que nos ayudarán a llevarlas.

Llevando así las cargas **cumplirán la ley de Cristo** (v. 2). Por el interesante vínculo en esta frase entre las 'cargas' y la 'ley', es posible que el apóstol esté echando una mirada de reojo a los judaizantes. Efectivamente muchas veces se hace referencia a los requerimientos de la ley como una carga en el Nuevo Testamento (por ejemplo Lucas 11.46; Hechos 15.10, 28), y los judaizantes procuraban cargar a los gálatas con el cumplimiento de la ley para ser aceptados por Dios. De modo que Pablo puede estar queriendo decirles, en efecto, que en lugar de imponer la ley como una carga sobre otros, más bien deberían llevar las cargas de los otros y así cumplir la ley de Cristo.

La 'ley de Cristo' es amar a otros como él nos ama a nosotros; ese fue el nuevo mandamiento que nos dio (Juan 13.34; 15.12). Como ya lo dijo el apóstol en Gálatas 5.14, amar a nuestro prójimo es cumplir la ley. Es impresionante que amar al prójimo, [**ayudarse**] **unos a otros a llevar sus cargas** (v. 2) y cumplir la ley sean tres expresiones equivalentes. Muestra que amar a los demás como Cristo nos ama a nosotros puede llevarnos no a una acción espectacular, heroica de sacrificio propio, sino al ministerio mucho más banal y falto de espectacularidad de llevar las cargas de otros. Cuando vemos a una mujer, un niño o un anciano llevando una carga pesada, ¿acaso no ofrecemos llevarla en su lugar? Así cuando vemos alguien con una pesada carga en el corazón o en la mente, debemos estar preparados para ponernos a su lado y compartir su carga. De manera similar, debemos tener la suficiente humildad para permitir que otros compartan las nuestras.

Llevar las cargas de los otros es un gran ministerio. Es algo que todo cristiano puede y debe hacer. Es una consecuencia natural de andar en el Espíritu. Cumple la ley de Cristo. 'En consecuencia —escribió Martín Lutero—, los cristianos deben tener hombros fuertes y huesos sólidos'[2] (lo suficientemente robustos como para llevar cargas pesadas).

El apóstol continúa en el versículo 3: **Si alguien cree ser algo, cuando en realidad no es nada, se engaña a sí mismo.** La implicancia parece ser que si no llevamos las cargas unos de otros, es porque creemos que estamos por encima de los demás. No nos rebajaríamos a eso. Estaría por debajo de nuestra dignidad. Una vez más, es evidente, como también vimos en Gálatas 5.26, que nuestra conducta hacia *otros* está determinada por nuestra opinión sobre *nosotros mismos*. Así como provocamos y envidiamos a otras personas cuando somos vanidosos, de la misma manera, cuando creemos que somos 'algo' dejamos de compartir sus cargas.

Pero pensar eso de uno mismo es engañarse. Como vimos antes, vanidad es lo mismo que vanagloria, es decir, cultivar una falsa opinión de uno mismo. La verdad es que no somos 'algo', somos 'nada'. ¿Estoy exagerando? No cuando el Espíritu Santo ha abierto nuestros ojos y nos vemos tal como somos, rebeldes con Dios que nos hizo a su imagen, inmerecedores de ninguna otra cosa de su mano que no sea la destrucción. Cuando comprendamos y recordemos eso, dejaremos de compararnos favorablemente con otras personas y estaremos dispuestos a servirles o a compartir sus cargas.

Además, cuando somos cristianos, redimidos por Dios por medio de Jesucristo, no debemos seguir comparándonos con otros. Son esas comparaciones las que resultan odiosas y peligrosas, como sigue diciendo el apóstol. Versículos 4–5: **Cada cual examine su propia conducta; y si tiene algo de qué presumir, que no se compare con nadie. Que cada uno cargue con su propia responsabilidad.** En otras palabras, en lugar de estar mirando a nuestro prójimo y comparándonos con él, debemos examinar nuestra **propia conducta** porque tendremos que cargar nuestra **propia responsabilidad.** Es decir, somos responsables ante el Señor por nuestra obra y deberemos rendirle cuentas algún día.

En algunas traducciones (como RVC y BA) en los versículos 2 y 5 se utiliza la palabra 'carga'. Pero el verbo griego para carga es diferente, *baros* (v. 2) que significa un bulto pesado y *phortion* (v. 5), 'un término común para el equipaje de un hombre'.[3] Entonces, debemos llevar las 'cargas' unos de otros, cargas que son demasiado pesadas para que un hombre las cargue solo, pero hay una carga que no podemos compartir, y en realidad no hace falta hacerlo porque es un bulto liviano que todo hombre puede cargar por sí mismo: nuestra responsabilidad ante Dios el día del juicio. Ese día yo no podré cargar tu responsabilidad ni tú podrás cargar la mía, **que cada uno cargue con su propia responsabilidad.**

3. Un ejemplo sobre compartir la carga | 1

En el versículo 1 Pablo da a sus lectores un ejemplo particular de compartir la carga: **Hermanos, si alguien es sorprendido en pecado, ustedes que son espirituales deben restaurarlo con una actitud humilde. Pero cuídese cada uno, porque también puede ser tentado.** No es infrecuente 'sorprender' a alguien en el acto de pecar. El caso más conocido en el Nuevo Testamento es el de la mujer a quien los fariseos trajeron a Jesús y la describieron como que 'se le ha sorprendido en el acto mismo de adulterio' (Juan 8.4). Pero hay muchas otras experiencias menos sensacionales en que alguno ha sido sorprendido o detectado en pecado. El apóstol da instrucciones para esas situaciones. Primero nos dice qué hacer, segundo quién debe hacerlo, y tercero cómo se debe hacer.

a. Qué hacer

Si alguien es sorprendido en pecado ... deben restaurarlo. El verbo es instructivo. *Katartizō* significa 'poner en orden' y así 'restaurar a la condición original' (Arndt-Gingrich). Se usaba en el griego secular como término médico para acomodar un hueso fracturado o dislocado. Se lo emplea en Marcos 1.19 para los apóstoles que estaban 'remendando' sus redes, aunque Arndt-Gingrich sugiere una interpretación más amplia, a saber: que después de la noche de pesca, estaban 'poniendo a punto' sus redes (NEB), es decir, limpiando, remendando y doblando las redes.

Observemos el carácter positivo de la enseñanza de Pablo. Si detectamos que alguien está haciendo algo malo, no debemos quedarnos sin hacer nada con el pretexto de que no es nuestro problema y no queremos quedar involucrados. Tampoco debemos despreciar a la persona ni condenarla mentalmente, y si ha cometido un delito menor, no debemos decir 'se lo merece' o 'que se cocine en su propia salsa'. Tampoco debemos informar al ministro, ni hablar a hurtadillas sobre él a los amigos de la congregación. No; lo que debemos hacer es **restaurarlo**, 'ayudarlo a volver al camino recto' (NTV). Así es como Lutero aplica el mandamiento: 'corre hacia él, y extendiéndole la mano, levántalo, consuélalo con palabras dulces y rodéalo con brazos maternales'.[4]

No se nos dice aquí con precisión cómo debemos restaurar a nuestro hermano caído, pero podemos aprenderlo de las instrucciones más detalladas de Jesús en Mateo 18.15-17. Debemos ir a nuestro hermano y decirle la falta que ha cometido cara a cara y en privado. Jesús también le dio a nuestro objetivo un tono positivo y constructivo. Debemos procurar 'ganarlo', dijo, tal como Pablo dice aquí que debemos **restaurarlo**.

b. Quién debe hacerlo

Ustedes que son espirituales. Algunos comentaristas piensan que el apóstol está siendo sarcástico aquí. Hacen la suposición de que habría un grupo superespiritual en Galacia que se llamaba a sí mismo partido 'espiritual'. Pero no hay evidencia de que existiera tal grupo y no hay necesidad de ver sarcasmo en las palabras de Pablo. Él se está refiriendo a cristianos 'maduros' y 'espirituales', a los que más tarde describirá con más detalle en 1 Corintios 2.14—3.4, y a los que ya ha comenzado a describir en Gálatas 5.16-25. En todos los cristianos mora el Espíritu Santo, pero los cristianos 'espirituales' son además 'guiados por el Espíritu' y 'andan en el Espíritu', de tal manera que aparece en sus vidas el 'fruto del Espíritu'. En realidad, este amoroso ministerio de restaurar a un hermano caído es exactamente el tipo de cosa que debemos hacer cuando caminamos en el Espíritu. Solo los cristianos 'espirituales' deben intentar restaurarlo.

No obstante, no debemos aprovechar eso como excusa para evadir alguna tarea desagradable. A lo mejor decimos 'Eso me excluye, no soy espiritual'. El versículo 1 es efectivamente un reconocimiento de que no todos los cristianos son realmente espirituales, pero por otra parte, todo cristiano debería serlo, y como tal tiene la responsabilidad de restaurar a un hermano caído.

c. Cómo hacerlo

... ustedes que son espirituales deben restaurarlo con una actitud humilde. Pero cuídese cada uno, porque también puede ser tentado. La misma palabra griega para 'humilde' (*praotēs*) aparece en 5.23 como parte del fruto del Espíritu, porque la 'humildad —escribe el obispo Lightfoot— es una característica de la verdadera espiritualidad'.[5] Una de las razones por las que solamente los cristianos espirituales deberían intentar el ministerio de la restauración es que solamente ellos son humildes. Pablo luego agrega que nosotros mismos deberíamos tener cuidado, para no ser tentados. Esto sugiere que la humildad nace de la conciencia de la propia debilidad e inclinación al pecado. J. B. Phillips lo parafrasea: 'Sin ningún sentimiento de superioridad y estando en guardia contra la propia tentación'.

Hemos visto, entonces, que cuando un hermano cristiano es sorprendido en pecado, debe ser restaurado, y que son los creyentes maduros, espirituales los que deben ejercer este delicado ministerio con mansedumbre y humildad. Es triste que en la Iglesia contemporánea este claro mandamiento del apóstol se honre más en la infracción que en el cumplimiento. Pero si anduviéramos por el Espíritu nos amaríamos más unos a otros, y si nos amáramos más llevaríamos las cargas unos de otros, y si lleváramos las cargas unos a otros no esquivaríamos la tarea de intentar restaurar a un hermano que ha caído en pecado. Además, si obedeciéramos esta enseñanza apostólica tal como deberíamos, evitaríamos muchas habladurías hirientes, impediríamos graves recaídas, promoveríamos el bien de la Iglesia, y el nombre de Cristo sería glorificado.

Conclusión

Volvemos a donde comenzamos. Aquellos que andan en el Espíritu son guiados a tener relaciones armónicas unos con otros. Efectivamente, esta expresión de reciprocidad, 'unos con otros', es la que da cohesión al párrafo que hemos estado analizando. No debemos 'irritarnos' unos a otros, ni 'envidiarnos' unos a otros (5.26). Más bien debemos ayudarnos 'unos a otros a llevar sus cargas' (6.2). Y esta activa condición de 'unos a otros' es la inevitable expresión de la hermandad cristiana. No es por casualidad que Pablo se dirige a sus lectores como 'hermanos' (v. 1). En el griego, la primera y la última palabra de Gálatas 6 aparte del 'Amén' final, es la palabra 'hermanos'. El obispo Lightfoot cita al antiguo comentarista latino Bengel: 'Hay todo un argumento oculto detrás de esta única palabra'.[6]

Así como el apóstol argumenta acerca de nuestra libertad cristiana a partir del hecho de que somos 'hijos' de Dios, también argumenta sobre la conducta cristiana responsable a partir del hecho de que somos 'hermanos'. Este párrafo es la respuesta del Nuevo Testamento a la irresponsable pregunta de Caín: '¿Acaso soy yo el que debe cuidar a mi hermano?' (Génesis 4.9). Si un hombre es mi hermano, entonces soy su guarda. Debo cuidar de él en amor, debo preocuparme por su bienestar. No debo afirmar mi ilusoria superioridad sobre él e 'irritarlo', ni resentirme por su superioridad sobre mí 'envidiándolo'. Debo amarlo y servirle. Si está sobrecargado, debo llevar sus cargas. Si cae en pecado, debo restaurarlo, y hacerlo con mansedumbre. Es a esa vida cristiana práctica, de cuidado y servicio fraternal a la que nos llevará el andar en el Espíritu, y es de esa manera que se cumplirá la ley de Cristo.

18

Sembrar y cosechar
Gálatas 6.6–10

^{6.6}El que recibe instrucción en la palabra de Dios, comparta todo lo bueno con quien le enseña.

⁷No se engañen: de Dios nadie se burla. Cada uno cosecha lo que siembra. ⁸El que siembra para agradar a su naturaleza pecaminosa, de esa misma naturaleza cosechará destrucción; el que siembra para agradar al Espíritu, del Espíritu cosechará vida eterna. ⁹No nos cansemos de hacer el bien, porque a su debido tiempo cosecharemos si no nos damos por vencidos. ¹⁰Por lo tanto, siempre que tengamos la oportunidad, hagamos bien a todos, y en especial a los de la familia de la fe.

El apóstol Pablo va llegando al final de su carta. Sus temas principales ya han sido expuestos. Todo lo que resta son unas cuantas admoniciones finales. A primera vista, estas instrucciones y exhortaciones parecerían estar muy poco conectadas entre sí, hasta totalmente desconectadas. Pero una mirada más atenta pone de manifiesto el vínculo que las relaciona entre sí. Se trata del gran principio de la siembra y la cosecha. Esto se expresa en la penetrante frase del versículo 7: **Cada uno cosecha lo que siembra.** Es un principio de orden y consecuencia que está escrito en toda vida, sea material o moral.

Tomemos la agricultura. Después del diluvio Dios le prometió a Noé que, mientras permaneciera la Tierra, 'habrá siembra y cosecha' (Génesis 8.22). Si un granjero quiere una cosecha, tiene que sembrar su semilla en su campo; de otro modo, no habrá cosecha. Más todavía, el tipo de cosecha que obtendrá lo determina de antemano el tipo de semilla que siembra. Esto es así en cuanto a su naturaleza, su calidad y su cantidad. Si siembra semillas de cebada obtendrá una cosecha de cebada; si siembra trigo obtendrá una cosecha de trigo. De forma semejante, buena semilla producirá cosecha buena, y mala semilla cosecha mala. Además, si siembra abundantemente, puede esperar una cosecha abundante; pero si siembra mezquinamente, entonces cosechará escasamente también (2 Corintios 9.6). Juntando las tres cosas, podemos decir que si un granjero quiere una cosecha abundante de un grano en particular, entonces deberá sembrar no solamente la semilla adecuada, sino buena semilla y en forma abundante. Solo si procede así puede esperar una buena cosecha.

Precisamente el mismo principio funciona en la esfera moral y espiritual. **Cada uno cosecha lo que siembra.** No son los cosechadores quienes deciden cómo va a ser la cosecha, sino los sembradores. Si un hombre es fiel y obra a conciencia en su sembrar, entonces puede esperar confiadamente una cosecha buena. Si hace lo contrario no puede esperar buenos resultados. Por el contrario, 'los que siembran maldad cosechan desventura' (Job 4.8). O, como Oseas advirtió a sus contemporáneos (8.7), 'sembraron vientos y cosecharán tempestades' (vale decir, de juicio divino).

Este principio es una ley inmutable de Dios. Con el fin de destacarlo, el apóstol lo precede tanto de un mandamiento ('No se engañen') como de una afirmación ('de Dios nadie se burla').

La posibilidad de ser engañado se menciona varias veces en el Nuevo Testamento. Jesús dijo que el diablo era mentiroso y padre de mentiras, y alertó a sus discípulos en cuanto a la posibilidad de ser engañados.[1] Juan nos advierte en su segunda epístola que 'han salido por el mundo muchos engañadores'.[2] Pablo nos suplica cuando escribe a los efesios: 'Que nadie los engañe con argumentaciones vanas'.[3] Ya había preguntado a sus lectores de Galacia: '¿Quién los ha hechizado?' (3.1) y también había hablado de aquel que 'se engaña a sí mismo' (6.3).

Muchas personas se engañan en relación con esta ley inexorable de la siembra y la cosecha. Siembran su semilla sin prestar atención, despreocupadamente, ciegos al hecho de que las semillas que siembran inevitablemente producirán una cosecha equivalente. Hay quienes siembran semillas de un tipo y esperan una cosecha de otro. Imaginan que de alguna manera se saldrán con la suya. Pero eso es imposible. Pablo entonces agrega: **de Dios nadie se burla.** El verbo griego es asombroso (*muktērizō*). Deriva de la palabra nariz y significa literalmente 'levantar la nariz ante' alguien y 'adoptar un aire despectivo' o 'tratar con desprecio'. A partir de esto puede significar 'engañar' o 'burlar' (Arndt-Gingrich). Lo que está queriendo decir el apóstol es que los hombres pueden engañarse a sí mismos, pero no pueden burlar a Dios. Es posible que crean que pueden engañar la ley de la siembra y la cosecha, pero no lo pueden hacer. Pueden seguir sembrando su semilla y cerrando los ojos a las consecuencias, pero un día el Señor mismo les traerá su cosecha.

Del principio nos volvemos hacia la aplicación. Hay tres esferas de la experiencia cristiana en las que Pablo ve el principio en funcionamiento.

1. El ministerio cristiano | 6

El que recibe instrucción en la palabra de Dios, comparta todo lo bueno con quien le enseña. El término griego para 'el que recibe instrucción en la palabra de Dios' es *ho katēchoumenos*, el catecúmeno, la persona 'que recibe instrucción en la fe' (LP). Esta es la manera en que Lucas describe a Teófilo en el prefacio a su Evangelio (1.4).

Ya sea que la instrucción que se ofrezca sea privada, o en una escuela catequética en la que los conversos estén siendo preparados para el bautismo, o a toda una congregación por su pastor, el principio es el mismo, que a quien le sea enseñada la Palabra le corresponde ayudar a sostener a su maestro. De modo que el ministro puede esperar ser sostenido por la congregación. Él siembra la buena semilla de la Palabra de Dios, y cosecha su sostén.

Algunas personas encuentran embarazoso esto. Pero el principio bíblico se reafirma muchas veces. El Señor Jesús les dijo a los setenta discípulos a quienes envió: '… el trabajador tiene derecho a su sueldo' (Lucas 10.7). Y Pablo hace un uso explícito de la metáfora de la siembra y la cosecha para enseñar la misma verdad: 'Si hemos sembrado semilla espiritual entre ustedes, ¿será mucho pedir que cosechemos de ustedes lo material?' (1 Corintios 9.11).

Si se aplica como corresponde este principio, el mismo contiene sus propias salvaguardias. No obstante, deberíamos considerar dos abusos posibles.

a. Abuso por parte del ministro

Lutero vio en sus propios días el peligro de obedecer este mandato apostólico demasiado fácilmente, porque la Iglesia Católica Romana se volvió muy rica a medida que la gente le fue haciendo donaciones, y 'por esta excesiva liberalidad de los hombres, la codicia del clero aumentó'.[4] De forma semejante hoy, si bien de pocos ministros podría decirse que reciben sueldos excesivos, la imagen popular del ministro cristiano (por lo menos en el mundo occidental) parecería ser la de que su tarea es tanto 'cómoda' como segura. En la jerga moderna, está 'en algo bueno'. Y algo de verdad hay en esto. Algunos ministros cristianos se sienten tentados a la holgazanería, y algunos sucumben ante la tentación. En algunos lugares se dice de los ministros que 'trabajan por cuenta propia'. Nadie supervisa su trabajo. Es decir, se admite que algunos se vuelven remisos. Es comprensible, por lo tanto, que Pablo, si bien afirma el mandato del Señor de que 'quienes predican el evangelio vivan de este ministerio' (1 Corintios 9.14), sin embargo renuncie a su propio derecho y predique el evangelio libre de todo costo, ganándose el sustento como fabricante de tiendas de campaña. Qué bueno sería que hoy en día fuésemos más los que procuráramos hacer lo propio con el fin de corregir la impresión de que los ministros 'no están en esa tarea más que por lo que pueden sacar de ella'. Aun así, el principio bíblico es claro, que el ministro debe ser librado de la necesidad material de ganarse un salario, para poder dedicarse al estudio y ministerio de la Palabra y a cuidar del rebaño que le ha sido encargado. Como lo expresó Lutero, 'es imposible para un hombre trabajar día y noche para ganarse la vida, y al mismo tiempo entregarse al estudio sagrado como lo requiere el oficio de predicar'.[5]

¿Hay alguna protección contra este posible abuso? Creo que podríamos encontrar una en 1 Timoteo 5.17–18: "Los ancianos que dirigen bien los asuntos de la iglesia son dignos de doble honor, especialmente los que dedican sus esfuerzos a la predicación y a la enseñanza. Pues la Escritura dice: 'No le pongas bozal al buey mientras esté trillando', y 'El trabajador merece que se le pague su salario'". ¡Tal vez no sea muy halagüeño que al predicador se lo asocie con un buey que trilla! Pero también se lo llama 'obrero' o trabajador. La palabra en griego es fuerte e indica que 'trabaja duro' en la Palabra, 'a más no poder', procurando entenderla y aplicarla. A lo mejor hoy en día la predicación en la iglesia no está en su mejor momento porque rehuimos al duro trabajo que implica. Pero si el ministro se compromete en el ministerio con la energía de un obrero, y siembra buena semilla en la mente y el corazón de la congregación, puede esperar la cosecha del sustento para su vida.

b. Abuso por parte de la congregación

Si bien el principio de que la congregación sostenga materialmente al ministro puede alentarlo a ser ocioso y negligente, también puede tentar a la congregación a intentar controlar al ministro. Algunas congregaciones ejercen una decidida tiranía sobre su pastor y prácticamente lo amenazan a fin de que predique lo que ellas quieren oír. Pagan por el baile, dirían; por lo tanto tienen derecho a exigir la música. Y cuando el ministro tiene que sostener a una esposa y a la familia, se siente tentado a ceder. Desde luego que está mal que el ministro ceda a semejante presión, pero también está mal que la congregación lo ponga en esa situación. Si aquel siembra la buena semilla de la Palabra de Dios fielmente, por desagradable que le parezca a la congregación, tiene derecho a cosechar su sostén. La congregación no tiene autoridad para limitar sus ingresos porque él se niegue a limitar sus palabras.

La correcta relación entre el maestro y sus alumnos, o entre el ministro y su congregación, es una relación de *koinōnia*, 'hermandad' o 'sociedad'. Por eso Pablo escribe: **El que recibe instrucción en la palabra de Dios, *comparta* (*koinōneitō*) todo lo bueno con quien le enseña** (cursivas añadidas). El ministro comparte cosas espirituales con ellos, y ellos comparten cosas materiales con él. El obispo Stephen Neill comenta: "Esto no se ha de considerar como *paga*. 'Compartir' o 'hacer partícipe' es un rico término cristiano, que se usa acerca de nuestra *comunión* en el Espíritu Santo".[6]

2. La santidad cristiana | 8

El que siembra para agradar a su naturaleza pecaminosa, de esa misma naturaleza cosechará destrucción; el que siembra para agradar al Espíritu, del Espíritu cosechará vida eterna. Esta es otra esfera en la que opera el principio de 'la siembra y la cosecha'. El apóstol pasa de lo particular a lo general, de los ministros cristianos y su sostén al pueblo cristiano y su comportamiento moral. Vuelve al tema de la carne y el Espíritu que ha tratado con cierto detalle en Gálatas 5.16–25. Allí el apóstol asemeja la vida cristiana al campo de batalla, y presenta a la carne y el Espíritu como dos combatientes en guerra entre ellos en torno al tema. Pero aquí en Gálatas 6 la vida del cristiano se asemeja a una propiedad campestre, y la carne y el Espíritu son dos campos en los que se puede sembrar semilla. Más todavía, la cosecha que logremos levantar depende de *dónde* y *qué* sembremos.

Esto resulta ser un principio vitalmente importante y muy descuidado en relación con la santidad. No somos las impotentes víctimas de nuestra naturaleza, temperamento o entorno. Por el contrario, lo que llegamos a ser depende en buena medida de cómo nos comportamos; nuestro carácter adquiere su forma por nuestra conducta. Según Gálatas 5 el deber del cristiano es 'vivir [andar] en el Espíritu', según Gálatas 6 es sembrar **para agradar al Espíritu**. Así, el Espíritu es asemejado a una senda a lo largo de la cual caminamos (Gálatas 5) y a un campo en el que sembramos (Gálatas 6). ¿Cómo podemos esperar cosechar el *fruto* del Espíritu si no sembramos en su *campo*? El viejo adagio es acertado: 'Siembra un pensamiento, recogerás un acto; siembra una acción, recogerás un hábito; siembra un hábito, recogerás un carácter; siembra un carácter, recogerás un destino'. Esta es buena enseñanza bíblica.

Examinemos las dos clases de siembra posibles, a saber 'sembrar para la naturaleza pecaminosa' y 'sembrar para agradar al Espíritu'.

a. Sembrar para la naturaleza pecaminosa

Hemos visto que nuestra 'naturaleza pecaminosa' tiene 'sus pasiones y deseos' (5.24), las cuales, si no se las frena, aparecen como 'las obras de la naturaleza pecaminosa' (5.19–21). Esta naturaleza baja existe en cada uno de nosotros y permanece en nosotros incluso después de la conversión y el bautismo. Es uno de los campos de nuestro estado humano en el que podemos sembrar.

Sembrar **para agradar a [la] naturaleza pecaminosa** es complacerla, mimarla, abrazarla y acariciarla en lugar de crucificarla. Las semillas que sembramos son principalmente pensamientos y hechos. Cada vez que permitimos que nuestra mente abrigue un rencor, alimente una queja, albergue una fantasía impura, o se revuelque en la autocompasión, estamos sembrando para la carne. Cada vez que nos entretenemos con mala compañía sabiendo que no podemos resistir su insidiosa influencia, cada vez que nos quedamos en cama sabiendo que deberíamos levantarnos a orar, cada vez que leemos literatura pornográfica, cada vez que tomamos un riesgo que fuerza los límites de nuestro propio control, estamos sembrando y sembrando y sembrando para la carne. Algunos cristianos siembran para la carne todos los días y aun así se preguntan por qué no cosechan santidad. La santidad es una *cosecha*; que la recojamos o no depende casi enteramente de lo que sembramos y dónde lo sembramos.

b. Sembrar para agradar al Espíritu

Sembrar **para agradar al Espíritu** es lo mismo que 'la mente puesta en el Espíritu' (Romanos 8.6, BA) y que 'vivir por el Espíritu' (Gálatas 5.16). De nuevo, las semillas que sembramos son nuestros pensamientos y nuestras acciones. Debemos buscar y concentrarnos en las cosas de Dios, o 'en las cosas de arriba, no en las de la tierra' (Colosenses 3.1–2; comparar con Filipenses 3.19). Por los libros que leemos, las amistades que fomentamos y las actividades de tiempo libre que practicamos podemos sembrar **para agradar al Espíritu**. También debemos promover hábitos disciplinados de devoción en privado y en público, en la lectura de la Biblia y la oración diarias, y en la adoración con el pueblo de Dios el día del Señor. Todo eso es sembrar **para agradar al Espíritu**; sin eso no puede haber cosecha en el Espíritu, ningún 'fruto del Espíritu' (Gálatas 5.22).

Pablo hace una distinción entre las dos cosechas como también entre las dos siembras. Los resultados no son sino lógicos. Si sembramos **para agradar a [la] naturaleza pecaminosa, de esa misma naturaleza cosechará destrucción**. Es decir, comenzará un proceso de decadencia moral. Iremos de mal en peor hasta que finalmente pereceremos. Si, por otro lado, sembramos **para agradar al Espíritu, del Espíritu cosechará vida eterna**. Es decir, se iniciará un proceso de crecimiento moral y espiritual. Se desarrollará la comunión con Dios (que es vida eterna), hasta que en la eternidad se haga perfecta.

Por consiguiente, si queremos obtener una cosecha de santidad, nuestro deber es doble. Primero, tenemos que evitar sembrar para la carne; y segundo, no tenemos que dejar de sembrar para el Espíritu. Tenemos que eliminar drásticamente lo primero y concentrar nuestro tiempo y energías sobre lo segundo. Es otra manera de decir (como en

Gálatas 5) que tenemos que 'crucificar la carne' y 'vivir en el Espíritu'. No hay otra manera de crecer en santidad.

3. El hacer el bien de los cristianos | 9–10

No nos cansemos de hacer el bien, porque a su debido tiempo cosecharemos si no nos damos por vencidos. Por lo tanto, siempre que tengamos la oportunidad, hagamos bien a todos, y en especial a los de la familia de la fe. El tema cambia en alguna medida para pasar de la santidad personal a hacer el bien, ayudar a otros, encarar actividades benefactoras en la iglesia o en la comunidad. Pero el apóstol trata esto igualmente bajo la metáfora de sembrar y cosechar.

Cierto es que algún incentivo hace falta para el hacer el bien cristiano. Pablo reconoce esto, porque alienta a sus lectores a no cansarse, a no darse por vencidos (ver 2 Tesalonicenses 3.13). El servicio cristiano activo es una tarea exigente y cansadora. Nos sentimos tentados a aflojar, a descorazonarnos o, incluso, hasta a abandonar.

De modo que el apóstol nos ofrece este incentivo: nos dice que el hacer el bien es como sembrar semilla. Si perseveramos en la siembra, entonces **a su debido tiempo cosecharemos si no nos damos por vencidos.** Si el granjero se cansa de sembrar y deja la mitad de su campo sin siembra, hará tan solo una media cosecha. Es igual con las buenas obras. Si queremos una cosecha, entonces tenemos que terminar la siembra y tener paciencia, como el agricultor que 'espera … a que la tierra dé su precioso fruto y con qué paciencia aguarda…' (Santiago 5.7). Como lo expresa John Brown: 'Con frecuencia los cristianos actúan como los niños con referencia a esta cosecha. Quieren sembrar y cosechar en el mismo día'.[7]

Si la siembra es hacer buenas obras en la comunidad, ¿qué es la cosecha? El apóstol no nos dice; nos deja adivinar. Pero el hacer bien con paciencia en la comunidad o la iglesia siempre produce buenos resultados. Puede traer consuelo, alivio o ayuda a personas que están en necesidad. Puede guiar a un pecador al arrepentimiento y a la salvación; Jesús mismo habló de esta obra como sembrar y cosechar (Mateo 9.37; Juan 4.35–38). Puede ayudar a detener el deterioro moral de la sociedad (es la función de la 'sal de la tierra') e incluso a hacer del mundo un lugar más placentero y saludable para vivir. Puede aumentar el respeto de las personas por lo que es bello, bueno y verdadero, especialmente en una época en que los estándares se van a pique. Y traerá bien a quien lo hace, aunque no la salvación (que es un don libre de Dios), y una recompensa en el cielo por el servicio fiel, que probablemente tomará la forma de un servicio más responsable todavía.

Por lo tanto, continúa Pablo en el versículo 10, (ya que la siembra de buena semilla trae como resultado una buena cosecha) **siempre que tengamos la oportunidad** (y esta vida terrenal está llena de esas oportunidades), **hagamos bien a todos, y en especial a los de la familia de la fe.** Esta familia consiste en los demás creyentes, que comparten con nosotros 'una fe tan preciosa como la nuestra' (2 Pedro 1.1) y por ello son nuestros hermanos y hermanas en la familia de Dios. Como dice el antiguo refrán:

'La caridad comienza por casa', con los parientes que puedan reclamar nuestra primera lealtad, aunque la caridad cristiana nunca debe terminar ahí. Debemos amar y servir a nuestros enemigos, dijo Jesús, no solo a nuestros amigos. Así, 'perseverando en las buenas obras', afirmamos una característica del verdadero cristiano, una característica tan indispensable que será tomada como evidencia de fe salvadora en el día del juicio (ver Romanos 2.7).

Conclusión

Hemos considerado las tres esferas de la vida cristiana a las que Pablo aplica su inexorable principio de que **Cada uno cosecha lo que siembra.** En la primera, la semilla es la *Palabra de Dios*, sembrada por maestros en la mente y corazón de la congregación. En la segunda, la semilla la constituyen *nuestros propios pensamientos y acciones*, sembrados en el campo de la naturaleza pecaminosa o el Espíritu. En la tercera, la semilla son nuestras *buenas obras*, sembradas en la vida de otras personas en la comunidad.

Y en cada caso, si bien la semilla, la tierra y el suelo son diferentes, al momento de la siembra sigue el momento de la cosecha. El maestro que siembra la Palabra de Dios cosechará su sustento; es el propósito del Señor que así sea. El pecador que siembra para la carne segará corrupción. El creyente que siembra para el Espíritu cosechará vida eterna, una creciente comunión con Dios. El filántropo cristiano que siembra buenas obras en la comunidad obtendrá una buena cosecha en la vida de aquellos a quienes sirve y una recompensa para sí mismo en la eternidad.

En ninguna de estas esferas es posible engañar al Señor. En cada una de ellas opera invariablemente el mismo principio. Y como no podemos engañar a Dios, ¡somos necios si tratamos de engañarnos a nosotros mismos! No debemos ignorar ni resistir esta ley, sino aceptarla y cooperar con ella. Debemos tener el buen sentido de permitir que ella gobierne nuestra vida. **Cada uno cosecha lo que siembra.** Es inevitable que recibamos la cosecha de lo que sembramos. Por lo tanto, si queremos obtener una buena cosecha, es preciso que sembremos, y sigamos sembrando, buena semilla. Luego, a su debido tiempo, cosecharemos.

19

La esencia de la religión cristiana
Gálatas 6.11–18

[6.11]Miren que les escribo de mi puño y letra, ¡y con letras bien grandes!

[12]Los que tratan de obligarlos a ustedes a circuncidarse lo hacen únicamente para dar una buena impresión y evitar ser perseguidos por causa de la cruz de Cristo. [13]Ni siquiera esos que están circuncidados obedecen la ley; lo que pasa es que quieren obligarlos a circuncidarse para luego jactarse de la señal que ustedes llevarían en el cuerpo. [14]En cuanto a mí, jamás se me ocurra jactarme de otra cosa sino de la cruz de nuestro Señor Jesucristo, por quien el mundo ha sido crucificado para mí, y yo para el mundo. [15]Para nada cuenta estar o no estar circuncidados; lo que importa es ser parte de una nueva creación. [16]Paz y misericordia desciendan sobre todos los que siguen esta norma, y sobre el Israel de Dios.

[17]Por lo demás, que nadie me cause más problemas, porque yo llevo en el cuerpo las cicatrices de Jesús.

[18]Hermanos, que la gracia de nuestro Señor Jesucristo sea con el espíritu de cada uno de ustedes. Amén.

Pablo ha llegado al final de su carta. Hasta aquí le ha estado dictando a un amanuense, pero ahora, como era su costumbre, toma la pluma de la mano de su secretario, con el fin de agregar una posdata personal. Generalmente lo hacía simplemente para agregar su firma como garantía contra falsificación (ver 2 Tesalonicenses 3.17); a veces incluía una exhortación final o palabras de gracia. Pero en esta ocasión escribe varias oraciones finales con su propia letra.

Versículo 11: **Miren que les escribo de mi puño y letra, ¡y con letras bien grandes!** Se han hecho diversas sugerencias en cuanto a estas **letras bien grandes**. Tal vez se esté refiriendo a 'las letras grandes y desprolijas' de un aficionado,[1] porque él no era un escribiente profesional y probablemente estuviera más acostumbrado a escribir en hebreo que en griego. O tal vez sus letras grandes se debían a que no veía bien, una posibilidad a la que ya nos hemos referido en Gálatas 4.13–15 en relación con su malestar físico o 'enfermedad'. Pero la mayoría de los comentaristas considera que usaba caracteres grandes deliberadamente, ya fuese porque estaba tratando a sus lectores como niños (reprochando su inmadurez espiritual valiéndose de un tipo de escritura infantil) o simplemente por énfasis 'para atraer el ojo y captar la mente',[2] en forma semejante a nuestro uso de letras mayúsculas o subrayadas para destacar palabras hoy en día. En realidad era una especie de subrayado. JBP agrega una nota al pie en su paráfrasis: "Según el uso oriental de hace siglos, esto podría significar: 'Nótese cómo he presionado la pluma al escribir esto'. De modo que podría traducirse 'Nótese cómo les he subrayado estas palabras'".

¿Qué es, entonces, lo que el apóstol enfatiza? Enfatiza los temas principales del evangelio cristiano. Una vez más traza un contraste entre él y los judaizantes, y de esta manera entre los dos sistemas religiosos que representan. Al hacerlo indica cuáles son los temas vitales que están en juego. Al leer sus palabras, sentimos que se nos transporta de la controversia entre Pablo y los judaizantes del primer siglo y se nos coloca directamente en el siglo xx. Hasta alcanzamos a vislumbrar el curso de la historia de la Iglesia a lo largo del tiempo, en la que se han venido discutiendo estos temas continuamente. Aquí se nos presentan dos preguntas en relación con la esencia de la religión cristiana.

1. ¿Externa o interna? | 12–13

La esencia de la religión cristiana, ¿es externa o interna? Debemos responder que el cristianismo es fundamentalmente una religión interior y espiritual, del corazón y no una religión de ceremonias externas.

Los judaizantes en cambio se concentraron en algo externo, es decir, la circuncisión. En los versículos 12–13 se los describe no solamente como **esos que están circuncidados** sino también como aquellos que tratan de obligarlos a ustedes a circuncidarse. No es de extrañar que a veces se los llame 'los del partido de la circuncisión'. En estas páginas hemos considerado varias veces el lema de su partido 'A menos que ustedes se circunciden … no pueden ser salvos' (Hechos 15.1); es decir, los judaizantes negaban la salvación por la fe sola.

¿Por qué lo hacían? Pablo es muy franco. Versículo 12: **lo hacen únicamente para dar una buena impresión** o 'para que ellos sean aceptados por los demás' (PDT). Versículo 13: **Para luego jactarse de la señal que ustedes llevarían en el cuerpo.** La circuncisión se realizaba sobre el cuerpo. Bien cierto es que Dios se la indicó a Abraham como señal del pacto que hacía con él. Pero en sí misma no era nada. Sin embargo los judaizantes la estaban elevando para convertirla en una ordenanza de primera importancia, insistiendo en que sin ella nadie podía ser salvo. Pero ¿cómo podía una operación externa y corporal asegurar la salvación del alma o constituir una condición indispensable para la salvación? Resultaba palpablemente ridículo.

Con todo, cometen el mismo error hoy en día los que atribuyen una importancia exagerada al bautismo y enseñan la doctrina de la regeneración bautismal. El bautismo es importante, así como fue importante la circuncisión. El Cristo resucitado dio el bautismo a la Iglesia, así como Dios dio la circuncisión a Abraham. El bautismo es señal de ser miembro del pacto, así como lo fue la circuncisión. Tanto este como aquella, por grandes y espirituales que sean las verdades que representan, son en sí mimos actos corporales y externos. Y es absurdo magnificar tales cosas como medios indispensables para la salvación y a continuación jactarnos por ellos. Como lo señala Cole, se trataba de una especie de obsesión con las 'estadísticas eclesiales', poder jactarse de 'tantas circuncisiones en un año dado' tal como podríamos jactarnos de tantos bautismos.[3]

¿Qué es, entonces, lo que tiene central importancia? El versículo 15 ofrece la respuesta: 'Para nada cuenta estar o no estar circuncidados; lo que importa es ser parte de una nueva creación'. Lo que importa fundamentalmente no es que un hombre haya sido o no circuncidado (o bautizado) sino que ha nacido de nuevo y es ahora una nueva criatura. La circuncisión era, y el bautismo es, una señal exterior y sello de eso. La circuncisión del cuerpo simbolizaba la circuncisión del corazón (Romanos 2.29). De modo semejante, el bautismo con agua simboliza el bautismo del Espíritu Santo. Y es una lamentable tragedia cuando los hombres se aturden tanto en su pensamiento que sustituyen la señal por lo que ella significa, magnifican una ceremonia corporal a expensas de un cambio de corazón, y hacen de la circuncisión o el bautismo el camino de la salvación en lugar de la nueva creación. La circuncisión y el bautismo son cosas del 'cuerpo', ceremonias externas y visibles efectuadas por hombres; la nueva creación es un nacimiento del Espíritu, un milagro interior e invisible realizado por el Señor.

A través de la historia, el pueblo de Dios ha tendido a repetir este mismo error. Han rebajado una religión del corazón a una manifestación superficial y exterior, y el Señor ha enviado repetidamente a sus mensajeros a reprenderlos y a volverlos hacia una religión espiritual e interior. Este fue el gran error de Israel en los siglos VIII y VII antes de Cristo, cuando Dios protestaba por medio de los profetas: 'Este pueblo me alaba con la boca y me honra con los labios, pero su corazón está lejos de mí' (Isaías 29.13). Jesús aplicó este pasaje a los escribas y fariseos de su época y expuso su hipocresía (Marcos 7.6–7). Un formalismo religioso similar caracterizó a la Iglesia medieval antes de la Reforma, y al anglicanismo del siglo XVIII hasta que Wesley y Whitefield nos devolvieron el evangelio. Y lo mismo ocurre con mucho del cristianismo de la Iglesia actual: no pasa de ser un show mayormente externo, seco, apagado, sombrío y muerto. En realidad, es natural que el hombre caído retroceda frente a lo real, lo interior y lo espiritual. Y que se fabrique una religión sustitutiva fácil y cómoda cuyas demandas son solamente externas y ceremoniales. Pero las cosas externas cuentan poco en comparación con la nueva creación o el nuevo nacimiento.

Esto no significa que lo corporal o externo no tenga lugar, porque lo que hay en el corazón necesita expresarse por medio de los labios, y lo que es interior y espiritual en la religión necesita tener alguna expresión exterior. Pero lo esencial es interior; las formas externas carecen de valor si faltan las internas.

2. ¿Humano o divino? | 13–16

Nuestra segunda pregunta es si la esencia de la religión cristiana es humana o divina. En otras palabras, ¿se trata fundamentalmente de lo que nosotros hacemos por Dios o de lo que él ha hecho por nosotros?

Al concentrarse en la circuncisión los judaizantes cometieron un segundo error. Porque aquella no era solo un ritual físico y externo; también era una obra *humana*, realizada por un ser humano a otro ser humano. Más que eso. Como símbolo religioso, la circuncisión comprometía a la gente a guardar la ley: 'Es necesario [decían los judaizantes] circuncidar a los gentiles y exigirles que obedezcan la ley de Moisés' (Hechos 15.5). Insistían en la obediencia a la ley porque creían que la salvación del hombre dependía de ella. Su idea del camino para la salvación era que la muerte de Cristo era insuficiente; hacía falta merecer el favor y el perdón de Dios por medio de las buenas obras. De manera que su religión resultaba una religión humana. Comenzaba con una obra humana (la circuncisión) y seguía con más obra humana (la obediencia a la ley).

Pablo se opone a esta enseñanza vigorosamente. Incluso impugna los motivos de los judaizantes y los desenmascara. No pueden creer seriamente que la salvación es la recompensa por la obediencia a la ley, sostiene, porque **ni siquiera esos que están circuncidados obedecen la ley** (v. 13). De modo que saben que la salvación no se puede ganar. ¿Por qué, entonces, siguen insistiendo en las obras meritorias? La respuesta del apóstol es: para 'evitar ser perseguidos por causa de la cruz de Cristo' (v. 12). Ver 5.11.

¿Y qué hay en relación con la cruz de Cristo que perturba al mundo y lo incita a perseguir a quienes lo predican? Justamente esto: Jesús murió por nosotros los pecadores en la cruz, haciéndose maldición por nosotros (3.13). De manera que la cruz nos manifiesta varias verdades desagradables acerca de nosotros mismos, a saber, que somos pecadores sujetos a la justa maldición de la ley de Dios y que no podemos salvarnos por nosotros mismos. Cristo llevó nuestro pecado y maldición precisamente porque nosotros no podíamos obtener liberación de ninguna otra manera. Si hubiéramos podido ser perdonados por nuestras propias buenas obras, por haber sido circuncidados y guardar la ley, no habría habido cruz alguna (ver Gálatas 2.21). Cada vez que miramos hacia la cruz Cristo parece estar diciéndonos: 'Estoy aquí por ustedes. Es el pecado de ustedes lo que estoy llevando, la maldición de ustedes la que estoy sufriendo, la deuda de ustedes la que estoy pagando, la muerte de ustedes la que estoy muriendo'. No hay nada en la historia o el universo que nos empequeñezca tanto como la cruz. Todos tenemos conceptos agrandados sobre nosotros mismos, especialmente en cuanto a lo buenos que somos, hasta que hemos tenido ocasión de visitar un lugar llamado Calvario. Es allí, al pie de la cruz, donde nos achicamos hasta nuestro verdadero tamaño.

Y por supuesto, a ningún ser humano le gusta. Nos ofendemos ante la humillación de vernos a nosotros mismos como Dios nos ve y como realmente somos. La gente prefiere sus cómodas ilusiones. De manera que se mantiene alejada de la cruz. Construyen un cristianismo sin ella, que se apoya para la salvación en sus propias obras y no en la de Jesucristo. No se oponen al cristianismo siempre que no sea la fe de Cristo crucificado. Pero a Cristo crucificado lo detestan. Y si los predicadores predican a Cristo crucificado, se les oponen, lo ridiculizan, lo persiguen. ¿Por qué? Por las heridas que le infringe al orgullo de los hombres.

La actitud del apóstol Pablo estaba totalmente en desacuerdo con estos puntos de vista. Versículo 14: **En cuanto a mí, jamás se me ocurra jactarme de otra cosa sino de la cruz de nuestro Señor Jesucristo, por quien el mundo ha sido crucificado para mí, y yo para el mundo.** Para él la cruz no era algo de lo cual huir, sino el objeto de su jactancia. La verdad es que no podemos jactarnos de nosotros mismos y de la cruz simultáneamente. Si nos jactamos de nosotros mismos y en nuestra propia habilidad para salvarnos, jamás nos jactaremos de la cruz y de la capacidad del Cristo crucificado de salvarnos. Es preciso que elijamos. Solo si nos hemos humillado como pecadores merecedores del infierno dejaremos de jactarnos de nosotros mismos, volaremos hacia la cruz en busca de salvación y pasaremos el resto de nuestros días glorificándonos en ella.

Como resultado, nosotros y el mundo hemos debido separarnos. Cada uno ha sido 'crucificado' para el otro. 'El mundo' es la sociedad de los que no creen. Antes teníamos una desesperante necesidad de tener el favor del mundo. Pero ahora que nos hemos visto a nosotros mismos como pecadores y a Cristo crucificado llevando nuestros pecados, ya no nos preocupa lo que el mundo piensa o dice de nosotros o lo que nos puede hacer. Como dice Pablo, **el mundo ha sido crucificado para mí, y yo para el mundo.**

El apóstol, entonces, ha comparado la religión falsa y la verdadera. Por un lado la circuncisión, que representa lo externo y lo humano, una religión formal exterior y nuestros esfuerzos por salvarnos a nosotros mismos. Por la otra está la cruz de Cristo y la nueva creación, su obra acabada en la cruz para redimirnos y la obra interior del Espíritu en nuestro corazón para regenerarnos y santificarnos. Estas son partes fundamentales del evangelio. Nadie puede entenderlo si no ha captado que el cristianismo es primero una religión interior y espiritual, y segundo una obra divina de gracia.

Además, estos dos principios del evangelio son siempre y en todo lugar los mismos, no solamente para la Galacia del primer siglo, sino para la Iglesia de todos los tiempos. Versículo 16: **Paz y misericordia desciendan sobre todos los que siguen esta norma, y sobre el Israel de Dios.** Aquí Pablo enseña tres grandes verdades acerca de la Iglesia.

a. La Iglesia es el Israel de Dios

Aquí, **todos los que siguen esta norma,** por un lado, y **el Israel de Dios,** por otro, no son dos grupos sino uno solo. La partícula conectiva *kai* debería traducirse como 'incluso' (en lugar de 'y') o ser omitido directamente, como en algunas versiones. La Iglesia cristiana participa de una continuidad directa con el pueblo de Dios del Antiguo Testamento. Los que están en Cristo hoy son 'la verdadera circuncisión' (Filipenses 3.3, BA), 'la descendencia de Abraham' (Gálatas 3.29), **el Israel de Dios.**

b. La Iglesia tiene una norma que la conduce

Del pueblo de Dios, del **Israel de Dios,** se dice que **siguen esta norma.** La palabra griega para 'norma' es *kanôn,* que significa vara de medir o regla, 'la línea de medir del carpintero o el agrimensor en base a la que se orienta.'[4] De modo que la Iglesia tiene una regla mediante la cual orientarse. Este es el 'canon' de la Escritura, la doctrina de los apóstoles, y en el contexto de Gálatas 6 especialmente la cruz de Cristo y la nueva creación. Tal es la regla mediante la cual la Iglesia debe andar, juzgándose y reformándose constantemente.

c. La Iglesia disfruta de paz y misericordia solo cuando anda conforme a esta regla

Paz y misericordia desciendan sobre todos los que siguen esta norma, y sobre el Israel de Dios. ¿Cómo puede la Iglesia estar segura de la misericordia y la bendición de Dios? ¿Cómo puede experimentar paz y unidad entre sus propios miembros? La única respuesta a ambas preguntas es seguir **esta norma.** A la inversa, la pecaminosa

189

negligencia con respecto a ella, la fe apostólica de la Biblia, es la principal razón por la que la Iglesia contemporánea pareciera disfrutar tan poco la misericordia del Señor y tener tan poca paz y armonía interior. 'La paz sobre Israel'[5] es imposible cuando la Iglesia se aparta de la regla dada por Dios.

Conclusión | 17–18

Versículo 17: **Por lo demás, que nadie me cause más problemas, porque yo llevo en el cuerpo las cicatrices de Jesús.** El vocablo griego para 'cicatrices' es *stigmata*. Los eclesiásticos de la Edad Media creían que se trataba de las llagas en las manos, los pies y el costado de Jesús, y que, por su grado de identificación, a Pablo le habían aparecido las mismas llagas en el cuerpo. Se decía que cuando Francisco de Asís contemplaba las heridas de Cristo, aparecieron en sus manos, pies y costado 'excrecencias negruzcas y carnosas', que exudaban un poco sangre. Algunos relatos hasta decían que clavos negros, duros y firmes como de hierro salían de su carne. Hasta comienzos del siglo xx se habían hecho no menos de 321 afirmaciones de tales 'estigmas', en algunos de los cuales se ha dicho que, además de las cinco heridas en manos, pies y costado, han aparecido heridas en la frente (donde Cristo llevó la corona de espinas), en el hombro (donde llevó la cruz), en la espalda (donde fue azotado), algunas de ellas acompañadas por agudos dolores y abundante flujo de sangre. Aquellos casos que parecerían debidamente comprobados hoy serían denominados 'sangraduras neurológicas', ocasionadas por autosugestión subconsciente. B. B. Warfield ofrece un informe completo de las afirmaciones de estigma en su libro *Miracles, Yesterday and Today* (Los milagros ayer y hoy).[6]

No obstante, es poco probable que el *stigmata* de Jesús que llevaba Pablo en su cuerpo fuera de ese tipo. Indudablemente eran más bien las heridas que el apóstol había recibido cuando era perseguido por causa de Jesús. Según 2 Corintios 11.23–25, había recibido 'los azotes más severos', cinco veces los treinta y nueve azotes de los judíos, tres veces con varas, una vez apedreado. Algunos de esos sufrimientos los pudo haber padecido antes de escribir la epístola a los Gálatas. Con seguridad ya había sido apedreado en Listra, una de las ciudades de Galacia, donde había sido dado por muerto (Hechos 14.29). Las heridas infligidas por sus perseguidores, y las cicatrices permanentes que le dejaron, eran las 'cicatrices de Jesús'.

La palabra *stigmata* se usaba en el griego secular para la marca de un esclavo. Es posible que el apóstol tuviera eso en mente. Se consideraba a sí mismo un esclavo de Jesús; había recibido su marca durante las persecuciones. La palabra también se usaba para indicar 'tatuajes religiosos' (Arndt-Gingrich). A lo mejor él estaba afirmando que la persecución, y no la circuncisión, era el auténtico 'tatuaje' de un cristiano.

Esta era la base para su pedido de **que nadie me cause más problemas** o, como lo interpreta J. B. Lightfoot, 'que ningún hombre cuestione mi autoridad'.[7] Pablo ansiaba que esos falsos maestros lo dejaran tranquilo. Como judío tenía en su cuerpo la marca que los judaizantes exigían; pero también tenía otras marcas, que demostraban que él 'pertenecía a Jesucristo, no a los judíos'.[8] No había evitado la persecución por causa de Jesús. Por el contrario, llevaba las heridas en su cuerpo que lo hacían un verdadero esclavo, un fiel devoto de Jesucristo.

Finalmente, el versículo 18: **Hermanos, que la gracia de nuestro Señor Jesucristo sea con el espíritu de cada uno de ustedes. Amén.** Pablo había comenzado la epístola con su acostumbrado saludo de gracia (Gálatas 1.3) y había seguido expresando su asombro de que tan rápido 'estén dejando' al Señor que los había llamado 'por la gracia de Cristo' (1.6). En realidad, toda la carta está dedicada al tema de la gracia de Dios, su favor inmerecido para con los pecadores. Así es que concluye con la misma nota.

De manera que la característica auténtica del evangelio es **la gracia de nuestro Señor Jesucristo**, y la del predicador evangélico **las cicatrices de Jesús**. Esto es así para todo el pueblo de Dios. Pablo llevaba las marcas de Cristo en su cuerpo y la gracia de Jesús en su espíritu. Y anhelaba que sus lectores tuvieran lo mismo, porque eran sus **hermanos** (última palabra de la epístola) en la familia del Señor.

Una reseña de la epístola

Puede ser útil, al concluir, que intentemos un repaso de toda la epístola, o al menos subrayar sus principales temas.

Hemos visto que el trasfondo, la situación que le dio origen, fue la presencia en las iglesias gálatas de ciertos falsos maestros. Pablo alude a ellos directa o indirectamente a lo largo de toda la carta. Estos hombres estaban 'perturbando' a la iglesia. La misma palabra aparece en Gálatas 1.7 y 5.10, y significa 'molestar, alterar, generar confusión' (Arndt-Gingrich). Y la confusión que estaban sembrando se debía a sus ideas equivocadas. Estaban distorsionando el evangelio, y el apóstol los enfrenta con mucha indignación.

Había tres puntos principales en discusión entre él y los judaizantes, y aún hoy siguen siendo asuntos vitales en la Iglesia. El primero es la cuestión de la autoridad: ¿Cómo sabemos qué y a quién debemos creer o no creer? El segundo es la cuestión de la salvación: ¿Cómo podemos estar bien con Dios, recibir el perdón de nuestros pecados y ser restaurados de manera que contemos con su favor y su comunión? El tercero es el asunto de la santidad: ¿Cómo podemos controlar los deseos pecaminosos de nuestra naturaleza caída, y vivir una vida de rectitud y amor? Dirigiéndose a estas preguntas, Pablo dedica aproximadamente los dos primeros capítulos de la epístola a la cuestión de la autoridad, los capítulos 3 y 4 a la pregunta sobre la salvación y los capítulos 5 y 6 al asunto de la santidad.

1. La cuestión de la autoridad

Este era el punto fundamental. Pablo y Bernabé habían fundado las iglesias gálatas en su primer viaje misionero mediante su predicación y su enseñanza. Después de su partida llegaron otros maestros,

maestros que afirmaban tener la autoridad y el respaldo de la iglesia de Jerusalén y que comenzaron a socavar la enseñanza del apóstol. Como resultado, los gálatas estaban ante un dilema. Allí había dos grupos de maestros, cada uno de los cuales afirmaba tener la verdad de Dios, pero que se contradecían mutuamente. ¿A cuál debían escuchar y creer los gálatas? Ambos parecían tener buenas credenciales. Ambos estaban integrados por hombres santos, piadosos, rectos e inteligentes, y ambas doctrinas eran convincentes, atractivas y dogmáticas. ¿Cuál debían escoger?

La misma situación se presenta en las iglesias de hoy salvo que, en lugar de una simple alternativa entre dos puntos de vista, nos vemos enfrentados a una desconcertante variedad de opiniones entre las cuales escoger. Además, cada grupo tiene su atractivo, sus portavoces son eruditos reconocidos; y sus partidarios incluyen teólogos y autoridades eclesiásticas. Cada grupo suena razonable y defiende su caso con sólidos argumentos. Pero se contradicen entre sí. ¿Cómo saber entonces a cuál escoger y a quién seguir?

Debemos prestar mucha atención a lo que hace Pablo en esta situación. Afirma su autoridad como apóstol de Jesucristo. Espera que los gálatas reciban su evangelio no solamente por *sí mismo*, sino por *él*, no solamente por su verdad superior, sino por su autoridad superior. La autoridad de la que se jactaban los judaizantes era una autoridad eclesiástica: afirmaban venir de y hablar en nombre de la iglesia de Jerusalén. Por su parte, el apóstol insiste que tanto su misión como su mensaje no provenían de la iglesia sino de Cristo mismo. Este es el argumento de Gálatas 1 y 2, donde presenta audazmente su afirmación y luego la sostiene reviviendo la historia de su conversión y su subsecuente relación con los apóstoles de Jerusalén. Era Cristo quien le había dado autoridad, no ellos, no obstante lo cual, cuando más tarde tuvo una consulta con ellos, habían apoyado sin reservas su misión y su mensaje.

Consciente de su autoridad apostólica, Pablo espera que los gálatas lo acepten. Lo habían hecho en su primer viaje misionero, recibiéndolo como a 'un ángel de Dios, como si se tratara de Cristo Jesús' (4.14). Ahora que su autoridad se veía desafiada y su mensaje contradicho, sigue esperando que reconozcan su autoridad como apóstol de Cristo: 'Yo por mi parte confío en el Señor que ustedes no pensarán de otra manera' (5.10). El mensaje original que les había predicado (1.8) y que ellos habían recibido (1.9), debía ser normativo. Si alguno predicaba un mensaje diferente, por distinguido y eminente que fuera, '¡que caiga bajo maldición!'.

Casi ensordecidos por la confusión de voces en la Iglesia contemporánea, ¿cómo podemos saber a cuál seguir? La respuesta es la misma: debemos contrastarlas con la enseñanza de los apóstoles de Jesucristo. 'Paz y misericordia' vendrán sobre la Iglesia cuando siga 'esta norma' (6.16). En efecto, esta es la única sucesión apostólica que podemos aceptar, no una línea de obispos que se remonta a los apóstoles con la pretensión de ser sus sucesores (porque los apóstoles fueron únicos en su autoridad e inspiración y carecen completamente de sucesores), sino lealtad a la doctrina apostólica del Nuevo Testamento. La enseñanza de los apóstoles, ahora preservada definitivamente en el Nuevo Testamento, debe regular las creencias y las prácticas de la Iglesia de cada generación. Por eso la Biblia está por encima de esta, no a la inversa. Los autores apostólicos del Nuevo Testamento fueron comisionados por Cristo, no por la Iglesia, y escribieron con la autoridad de Aquel, no de esta. 'Ante esa autoridad (es decir la de los apóstoles) —como expresaron los obispos anglicanos en 1958 en la Conferencia de Lambeth— debe inclinarse siempre la iglesia'. ¡Ojalá lo hiciera! Los únicos planes para la unión de las iglesias que pueden agradar a Dios y ser de beneficio para la Iglesia son los que primero distinguen entre tradiciones apostólicas y tradiciones eclesiásticas, y luego someten estas últimas a las primeras.

2. La cuestión de la salvación

¿Cómo pueden los pecadores ser 'justificados', aceptados ante los ojos del Señor? ¿Cómo puede un Dios santo perdonar a los hombres pecadores, reconciliarlos con él y restaurarlos a su favor y comunión?

La respuesta de Pablo es directa. La salvación es posible únicamente por medio de la muerte expiatoria de Jesucristo en la cruz. La epístola está llena del tema de la cruz. El apóstol describe su ministerio de predicación como 'presentar' a Cristo crucificado ante los ojos de los hombres (3.1) y su filosofía personal como 'jactarme ... de la cruz de nuestro Señor Jesucristo' (6.14). Pero ¿por qué era la cruz el tema de su predicación y el objeto de su orgullo? ¿Qué hizo Cristo en la cruz? Consideremos estas tres afirmaciones de Gálatas: 'Jesucristo dio su vida por nuestros pecados para rescatarnos de este mundo malvado' (1.4); 'el Hijo de Dios ... me amó y dio su vida por mí' (2.20); y 'Cristo nos rescató de la maldición de la ley al hacerse maldición por nosotros' (3.13). Vale decir, el sentido por el que *se dio a sí mismo por nosotros* es que se dio a sí mismo *por nuestros pecados*, y el sentido en que se dio a sí mismo por nuestros pecados es que *se hizo maldición por nosotros*. Esta frase solo puede significar que la 'maldición' de Dios (su justo rechazo y juicio), que cae sobre todo el que quebranta la ley (3.10), fue transferida a Cristo en la cruz. Él llevó nuestra maldición para que recibiéramos la bendición que el Señor había prometido a Abraham (3.14).

¿Qué debemos hacer, entonces, para ser salvos? En un sentido, ¡nada! Jesucristo lo ha hecho todo con su muerte portadora de maldición. La única parte nuestra es creer en Jesús, confiar sin reservas en que él nos otorga personalmente los beneficios que resultan de su muerte. Porque 'nadie es justificado por las obras que demanda la ley sino por la fe en Jesucristo' (2.16). La única función de la fe es unirnos a Cristo, en quien recibimos la justificación, la adopción y el don del Espíritu.

Los judaizantes, por otra parte, estaban perturbando a la iglesia con su insistencia en que la fe en Jesús no era suficiente. En que había que agregar la circuncisión y la obediencia a la ley. Esta es la distorsión del evangelio que Pablo rechaza enérgicamente. Si las personas pudieran ganarse la salvación por medio de la ley, dice, 'Cristo habría muerto en vano' (2.21). Si contribuimos con nuestras obras a ganarnos la salvación, entonces rechazamos la suficiencia de la obra de Jesús. Si con su muerte llevó nuestro pecado y nuestra maldición, entonces la cruz es un sacrificio suficiente por el pecado y no hace falta absolutamente nada más. Ese es el 'escándalo de la cruz' (5.11, BA), porque nos dice que la salvación es un don libremente otorgado sobre la base de la muerte de Cristo y que para alcanzarla en nada podemos contribuir.

Entonces la Iglesia es 'la familia de la fe' (6.10). La fe es la primera marca de los hijos de Dios. Somos una familia de creyentes, y la fe es el factor de unión con todo el pueblo de Dios en todo lugar y todo tiempo.

a. La fe nos une con el pueblo de Dios del pasado

Si creemos, somos hijos de Abraham (3.7, 29), porque él fue justificado por la fe (3.6) tal como nosotros. En Cristo heredamos la bendición de Abraham (3.14). Es la fe, entonces, lo que vincula el Antiguo y el Nuevo Testamento y hace de la Biblia un libro en lugar de dos. Al leer los autores del Antiguo Testamento, no tenemos ninguna dificultad en reconocerlos como compañeros en la fe.

b. La fe nos une con el pueblo de Dios del presente

Gálatas 3.26, 28: 'Todos ustedes son hijos de Dios mediante la fe en Cristo Jesús ... Ya no hay judío ni griego, esclavo ni libre, hombre ni mujer, sino que todos ustedes son uno solo en Cristo Jesús'. Esto muestra que si estamos en Cristo por la fe somos 'hijos de Dios' y somos 'uno'. Las diferencias externas de raza, clase o sexo se vuelven nulas y vacías. En lo que respecta a nuestra relación con el Señor, no cuentan en absoluto. Lo que importa es estar 'en Cristo'. Y Pablo se niega a tolerar cualquier enseñanza o acción que sea inconsistente con esto. Por eso reprende a los judaizantes por su insistencia en la circuncisión y se opone a Pedro de frente cuando se retira de la mesa de comunión de los creyentes gentiles incircuncisos.

También hoy la fe anula las diferencias. No tenemos ningún derecho a negar la comunión en la Mesa del Señor a ninguna persona que esté en Cristo por la fe, sobre la base de que carece de confirmación episcopal, inmersión total, color de piel adecuado, una cultura aceptable o cualquier otra cosa. En cada iglesia hay un lugar para el orden y la disciplina, para asegurar que sus miembros estén en Cristo por la fe. Pero no hay lugar para la discriminación eclesiástica, social, ni racial. La Iglesia es 'la familia de la fe'; es la fe en Cristo crucificado lo que nos nivela y nos une.

3. La cuestión de la santidad

Los judaizantes ridiculizaban el evangelio de Pablo de que la justificación era solo por gracia, por medio de la fe; insinuaban que en ese caso las buenas obras no tenían sentido y que evidentemente uno podía vivir como le placiera. El apóstol también niega eso. Está de acuerdo en que los cristianos son 'libres' y los alienta a 'mantenerse firmes' en la libertad con que Cristo los hizo libres (5.1), pero agrega que 'no se valgan de esa libertad para dar rienda suelta a sus pasiones' (5.13). La libertad cristiana no es libertinaje. Los cristianos han sido librados de la esclavitud a la ley en el sentido de que han sido librados de ella como medio de salvación. Pero eso no significa que son libres para quebrantar la ley. Por el contrario, debemos 'cumplir la ley' amando y sirviendo a los demás (5.13–14).

¿Cómo podemos ser santos? Hemos visto cómo describe Pablo el conflicto interior de los cristianos entre 'la naturaleza pecaminosa' y 'el Espíritu' y el camino a la victoria por medio de la preeminencia del Espíritu sobre la carne. Quienes pertenecen a Cristo, dice, 'han crucificado la naturaleza pecaminosa' rechazando completamente sus 'pasiones y deseos' (5.24). Esto es parte de nuestro arrepentimiento. Se dio al momento de nuestra conversión, pero necesitamos recordarlo y renovarlo cada día.

El pueblo de Dios también busca 'ser guiado' por el Espíritu (ver 5.18), 'andar guiado' por el Espíritu (ver 5.25) y 'sembrar para agradar' al Espíritu (ver 6.8), mediante hábitos disciplinados de pensamiento y de vida, para que el 'fruto del Espíritu' aparezca y madure en nuestra vida. Este es el camino cristiano de la santificación.

**

El último versículo de la epístola es una adecuada conclusión: 'La gracia de nuestro Señor Jesucristo sea con el espíritu de cada uno de ustedes' (6.18). La vida cristiana se vive por la gracia de Cristo, y esta gracia (o favor inmerecido) se expresa en tres esferas que hemos considerado.

Primero, la respuesta a la pregunta sobre la autoridad es *Jesucristo por medio de sus apóstoles*. Cristo designó y autorizó a los Doce y más tarde a Pablo para predicar en su nombre,[1] y les prometió una medida especial del Espíritu Santo para recordarles sus enseñanzas y guiarlos a toda verdad.[2] 'Todo lo que Jesús comenzó a hacer y enseñar' durante su vida (Hechos 1.1) lo continuó por medio de sus apóstoles, y espera que hombres y mujeres se sometan a esta autoridad apostólica como si fuera su autoridad. 'Quien los recibe a ustedes, me recibe a mí' dijo.[3] 'El que los escucha a ustedes, me escucha a mí; el que los rechaza a ustedes, me rechaza a mí'.[4]

Segundo, la respuesta a la pregunta sobre la salvación es *Jesucristo por medio de su cruz*. Él vino no solamente para predicar sino también para salvar, no solamente para revelar, sino también para redimir. En la cruz llevó nuestro pecado y nuestra maldición. Y si estamos crucificados en Cristo, unidos a él por la fe, todas las bendiciones del evangelio —la justificación, la adopción y el don del Espíritu—se convierten en nuestras posesiones personales.

Tercero, la respuesta a la pregunta sobre la santidad es *Jesucristo por medio de su Espíritu*. Cristo no solo murió, resucitó y volvió al cielo, sino que envió al Espíritu Santo en su reemplazo. Este Espíritu Santo es el Espíritu de Cristo, que mora en cada creyente.[5] Y una de las más grandes obras del Espíritu es conformar en nosotros la imagen de Cristo,[6] formar a él en nosotros (Gálatas 4.19), producir en nosotros su 'fruto' de semejanza con Cristo.

Por lo tanto, tenemos a Cristo por medio de sus apóstoles para enseñarnos, a Cristo por medio de su cruz para salvarnos, y a Cristo por medio de su Espíritu para santificarnos. En pocas palabras este es el mensaje de la epístola a los Gálatas y en realidad del cristianismo mismo. Todo está incluido en las últimas palabras de esta carta: 'Hermanos, que la gracia de nuestro Señor Jesucristo [su gracia por medio de sus apóstoles, su cruz y su Espíritu] sea con el espíritu de cada uno de ustedes. Amén'.

Guía de estudio

Es fácil leer por encima un libro como este sin dejar que su verdad haga raíz en nuestra vida. El objetivo de esta guía de estudio es ayudarle a luchar honestamente con el mensaje de Gálatas y a pensar de qué manera su enseñanza le es relevante hoy.

Aunque originalmente se diseñó para grupos de estudio de la Biblia que lo usarían a lo largo de un período de seis semanas, esta serie también es adecuada para el uso personal. Cuando se usa en grupo y con un horario definido, el coordinador deberá decidir con anticipación cuáles de las preguntas utilizar en el encuentro y cuáles dejar para que los miembros del grupo trabajen por sí mismos durante la semana siguiente.

Para obtener el máximo provecho de los encuentros, cada participante debería leer la sección de Gálatas que será considerada esa semana, además de las páginas pertinentes en este libro. Al comenzar cada sesión, pidan en oración que el Espíritu Santo dé vida a esta antigua epístola y les hable personalmente por medio de ella.

Gálatas 1.1–24 (páginas 9–36)

Leer 1.1–5

▶ Pablo se describe a sí mismo como un 'apóstol'. ¿Qué significa esto (pp. 11ss.)? Como veremos, algunas iglesias de Galacia estaban desafiando la base esencial del mensaje que predicaba Pablo. ¿De qué manera lo que aquí dice da respaldo a su declaración de autoridad (pp. 11ss.)?

▶ Quizás el grupo quiera debatir si en la Iglesia contemporánea hay 'apóstoles' como lo era Pablo. ¿Qué piensan que él hubiera dicho al respecto?

▶ Pida a uno o más participantes que busquen el artículo sobre Galacia en un diccionario bíblico y en una concordancia, y que informen al grupo la próxima vez que se reúnan. ¿Qué descubren sobre el trasfondo de esta carta?

▶ Analicen en grupo cómo entienden los términos 'gracia' y 'paz' (1.3). ¿Pueden explicar de qué manera 'resumen el evangelio de salvación según Pablo' (pp. 14ss.)?

▶ Algunos quizás consideran a la crucifixión de Jesús tan solo el trágico final de una carrera prometedora. ¡Pablo no hubiera estado de acuerdo con eso! ¿Qué aprendemos acerca de la muerte de Cristo partir de 1.4–5 (pp. 16ss.)?

Leer 1.6–10

▶ En las demás cartas de Pablo a las iglesias que tenemos registradas su saludo inicial está seguido de una palabra de alabanza y oración. ¿Por qué esta epístola es una excepción? (pp. 19ss.)?

▶ Pablo atribuye el problema a un grupo de perturbadores que se han infiltrado en las iglesias. ¿Qué estaban haciendo y por qué era eso tan dañino (pp. 21ss.)?

▶ ¿Cómo reacciona Pablo y por qué es tan fuerte su reacción (pp. 24ss.)? ¿Reconoce usted situaciones similares en la Iglesia contemporánea? ¿Qué puede aprender del ejemplo del apóstol?

▶ Pablo insiste en que 'hay un solo evangelio y ese evangelio no cambia' (p. 25). ¿Cómo podemos, entonces, reconocer el evangelio auténtico (pp. 25ss.)?

Leer 1.11–24

▶ Frente a aquellos que presentan un 'evangelio distinto' (1.6), Pablo defiende la validez de su propio ministerio. ¿Qué dicen sus oponentes sobre él y sobre el evangelio que predica? ¿De dónde sostiene Pablo que recibió su mensaje (pp. 27ss.)?

▶ Revise cuidadosamente el argumento de Pablo. ¿Qué evidencia da para respaldar su asombrosa afirmación (pp. 28ss.)?

▶ El asunto clave es si el evangelio del apóstol tiene o no un origen divino. En su propia época, había gente que argumentaba que lo había inventado o que lo había recibido de alguna otra persona.

¿Qué argumentos usa hoy la gente para cuestionar la autoridad de Pablo? ¿Cómo les respondería (pp. 35s)?

Gálatas 2.1–21 (pp. 37–67)

En el capítulo 1 vimos que el apóstol afirmaba haber recibido su mensaje directamente de Dios, no de los hombres. Pero esto plantea otra cuestión: ¿estaba predicando el mismo evangelio que el de la iglesia en Jerusalén? Pablo responde a este interrogante describiendo dos encuentros que mantuvo con Pedro y los otros apóstoles.

Leer 2.1–10

▶ Pablo hizo más adelante una visita a Jerusalén, llevando consigo a Bernabé y a Tito. ¿Por qué querían algunos que Tito, un creyente de origen gentil, se circuncidara? ¿Por qué insistía tanto el apóstol en que no debía hacerlo (pp. 41s)?

▶¿Por qué se referiría Pablo a los apóstoles en Jerusalén de una manera tan indirecta en 2.6–9a? ¿Cuál fue la reacción de ellos ante el mensaje que Pablo había estado predicando (p. 43)? ¿Qué los llevó a reaccionar como lo hicieron?

Leer 2.11–16

▶ Pablo y Pedro creían y predicaban el mismo evangelio. ¡Pero evidentemente Pedro no estaba practicando lo que predicaba! ¿Qué comportamiento llevó a esta confrontación pública de parte de Pablo? ¿Por qué se comportó como lo hizo? ¿Cuál fue la consecuencia (pp. 51ss.)?

▶¿Por qué Pablo reaccionó de la manera en que lo hizo (pp. 52ss.)? ¿Cuál fue la consecuencia a largo plazo (pp. 56)?

▶¿A qué se refiere el apóstol cuando habla de 'la verdad del evangelio' en 2.14 (pp. 56ss.)?

▶¿Puede pensar en algo de su propia vida que en realidad contradice la verdad del evangelio? ¿Qué debería hacer al respecto?

▶¿Puede pensar en alguna otra situación en la que la verdad del evangelio se ve afectada por el comportamiento de aquellos que dicen creer en el mensaje? Observando el ejemplo de Pablo, ¿qué se siente motivado a hacer al respecto?

Leer 2.15–21

▶¿Cómo entiende usted el término 'justificación' (p. 59s)? ¿Por qué es un concepto 'central para el cristianismo' (p. 59)?

▶ Pablo analiza las dos posibles rutas a la justificación: 'por las obras que demanda la ley' o 'por la fe en Jesucristo' (2.16). ¿A qué se refiere por 'obras de la ley'? ¿De qué manera es este 'el principio que rige a todo sistema religioso o moral en el mundo, con excepción del cristianismo del Nuevo Testamento' (p. 62)?

▶¿Puede identificar en 2.16 y 21 los argumentos de Pablo donde demuestra que, si bien la justificación por las obras de la ley es una opción teórica, en realidad es imposible de alcanzar (pp.61ss.)?

▶ En 2.17 Pablo anticipa un contraargumento. ¿En qué consiste? ¿Cómo responde él (pp. 64ss.)?

▶ Usando este pasaje, ¿cómo respondería usted a alguien que dijera que la justificación por fe es una mera 'ficción legal' (p. 65)?

Gálatas 3.1–29 (pp. 69–103)

Leer 3.1, y también 1.6–10

▶¿Por qué Pablo llama 'torpes' a los gálatas? ¿Qué estaban haciendo (pp.69ss.)?

▶ El apóstol dice de los gálatas: '…ante quienes Jesucristo crucificado ha sido presentado tan claramente' (3.1). ¿De qué manera se cumple estoy hoy en la práctica? ¿Hasta qué punto lo hace usted en su testimonio cristiano y en su evangelismo (pp. 70s)?

Leer 3.2–5

▶ Pablo les muestra a los gálatas que estaban equivocados, y lo hace en primer lugar recordándoles la experiencia que habían tenido. ¿Puede explicar su argumento (pp. 71s)?

Leer 3.6–9

▶ Pablo ahora se remite al Antiguo Testamento. Al parecer los falsos maestros sostenían que para ser verdaderos hijos de Abraham los gentiles convertidos a Cristo debían obedecer la ley judía y, en consecuencia, por ejemplo, someterse a la circuncisión. ¿Cómo contrarresta el apóstol esas ideas (pp. 73s)?

Leer 3.10–14

▶ Pablo utiliza citas del Antiguo Testamento para respaldar su argumento, y ahora desglosa las dos alternativas que había mencionado en 2.16. ¿Por qué 'todos los que viven por las obras que demanda la ley' (3.10) se encuentran en problemas (pp. 77s)?

▶ Gálatas 3.10 hace una cita a Deuteronomio 27.26, la sentencia de muerte que la ley establece para cualquier persona que no la cumpla. ¿Cómo puede cualquier persona, entonces, escapar de la maldición de 3.10 y 13, y en cambio disfrutar de la bendición de 3.14 (pp. 79ss.)?

▶ Pero esta vía de escape no es automática. ¿Por qué no? ¿Qué debemos hacer (pp. 83s)?

Leer 3.15–18

▶¿De qué manera justifica Pablo el hecho de que se remite directamente a las promesas que Dios le hizo a Abraham, eludiendo respecto a este tema la ley que le dio a Moisés (pp. 86ss.)?

Leer 3.19–20

▶ El versículo 18 dice que la ley no es el medio por el cual heredamos la promesa de bendición que Dios dio. ¿Para qué, entonces, es la ley (pp.90s)?

Leer 3.21–22

▶ Al hacer que la justificación dependiera de cumplir la ley, los falsos maestros estaban poniendo a la ley de Dios en oposición a su promesa, y esto hacía que parecieran contradictorias. ¿Cómo se ocupa Pablo de esta cuestión (pp. 91s)?

▶ 'Jamás debemos esquivar la ley para llegar directamente al evangelio. Hacerlo es contradecir el plan del Señor en la historia bíblica' (pp. 93s). ¿Cómo evalúa usted su testimonio y evangelismo cristiano a la luz de esta afirmación?

Leer 3.23–29

▶ Pablo continúa su argumentación describiendo un patrón similar entre la ley y la promesa en la experiencia cristiana personal. ¿Qué valor tienen las dos imágenes que utiliza para retratar a la ley?

▶ Pero ahora los que están en Cristo disfrutan de una nueva libertad. ¿Cuáles son las bendiciones específicas que Pablo menciona en estos versículos (pp. 99ss.)? ¿Puede mencionar de qué forma estas bendiciones se cumplen en su propia vida?

Gálatas 4.1–31 (pp. 105–134)

Leer 4.1–7

▶ Pablo ahora contrasta a la persona que está bajo la ley con la que está en Cristo, y extrae las implicancias para el cristiano. ¿Cómo describe la condición del hombre bajo la ley (pp. 106ss.)? ¿Cómo se evidencia esto en la práctica?

▶¿En qué sentido Dios envió a Jesús 'cuando se cumplió el plazo' (pp. 105s)? ¿Por qué fue enviado? Por qué estaba Jesús singularmente calificado para la tarea que tenía puesta por delante (pp. 108s)?

▶ Aquellos que están en Cristo tienen un nuevo estatus mediante la fe en él. ¡Pero hay más! ¿Qué nuevas bendiciones trae el envío del Espíritu Santo (pp. 110ss.)?

Leer 4.8–11

▶¿Cuál era el error principal de los gálatas (pp. 110s)? ¿Qué pasos concretos podemos tomar para no caer en la misma trampa (pp. 110s)?

Leer 4.12–20

▶ Pablo escribe con gran sentimiento, urgiendo a los gálatas que regresen a su anterior lealtad. ¿Qué significan sus palabras en 4.12 (pp. 115s)? ¿De qué manera son relevantes para los ministros cristianos en la actualidad?

▶ Los gálatas habían recibido en otro momento a Pablo como si hubiera sido Cristo Jesús mismo (4.14). ¿Por qué había cambiado su actitud (pp. 117ss.)? ¿Qué lecciones nos deja hoy a nosotros (pp. 119s)?

▶¿Qué diferencia hay entre la actitud de Pablo hacia los gálatas y la que mostraban los falsos maestros (pp. 120s)? ¿Qué nos enseña a nosotros (pp. 121s)?

Leer 4.20–31

► El apóstol se dirige ahora a 'los que quieren estar bajo la ley' (4.21), y los invita a considerar las consecuencias lógicas de su posición. ¿Por qué es irrelevante pertenecer a la descendencia física de Abraham (pp. 127s)?

►¡Pablo sostiene que lo que realmente cuenta es quién es tu *madre*! En su alegoría, ¿qué representan respectivamente Agar y Sara (pp. 129ss.)? (Ver en pp. 129ss. una nota importante sobre 4.27).

► 'Ustedes, hermanos, al igual que Isaac, son hijos por la promesa' (4.28). ¿Cuáles son dos implicancias que Pablo deriva para la comunidad cristiana (pp. 131ss.)?

► 'Los principales enemigos de la fe evangélica no son hoy los incrédulos, porque cuando oyen el evangelio a menudo lo abrazan, sino la Iglesia, la institución, la jerarquía' (p. 132). ¿De qué maneras ha visto ocurrir esto en su experiencia personal? Analice qué conducta debería tomar.

Gálatas 5.1–25 (pp. 135–161)

Leer 5.1–6

► El argumento de Pablo es claro: si Cristo nos ha liberado de la ley, ¿por qué volver a vivir como esclavos? La cuestión puntual que se debate es la circuncisión, algo que los falsos maestros exigían como suplemento de la fe. ¿Cuáles son las consecuencias de responder a esta exigencia? ¿Por qué (pp. 136ss.)?

► Usando este pasaje, ¿cómo podría usted responder a alguien que sostuviera que el énfasis que Pablo pone sobre la fe en Cristo significa que podemos vivir como nos plazca (p. 137)?

Leer 5.7–12

►¿Qué rasgos de los falsos maestros describe el apóstol en este pasaje (pp. 139s)? ¿Por qué es tan difícil perseverar en la prédica de la verdad (pp. 141s)?

► La actitud de Pablo hacia los falsos maestros puede parecer dura. ¿Qué lo motivaba a sentirse de esta manera hacia ellos (pp. 139ss.)? ¿Cómo reacciona usted ante las falsas enseñanzas en la Iglesia hoy? ¿Qué puede aprender del ejemplo del apóstol?

Leer 5.13–15

►¿A qué se refiere Pablo por 'dar rienda suelta a [las] pasiones' (5.13)? ¿De qué manera similar podría estar usted inclinado a usar mal su libertad en Cristo? ¿Qué antídoto sugiere el apóstol (pp. 146ss.)?

► Alguien podría argumentar que 'debido a que Cristo nos ha hecho libres de la ley, ahora podemos ignorarla por completo'. A partir de 5.14, ¿qué respuesta le daría (pp.149s)?

Leer 5.16–25

► Mantener la libertad cristiana nos compromete en un conflicto constante entre 'la carne' (o 'la naturaleza pecaminosa') y 'el Espíritu'. ¿A qué se refiere Pablo con estos términos (pp. 152s)?

► Uno de sus amigos se emborracha una noche, y ocurre que a la mañana siguiente lee 5.21 y llega a la conclusión de que ha perdido la salvación. ¿Cómo podrá ayudarlo usted (pp. 153s)?

► La victoria cristiana en el conflicto entre la naturaleza pecaminosa y el Espíritu se obtiene a medida que crucificamos a una (5.24) y andamos en el otro (5.25). Analice con el grupo qué significan estas frases en la práctica (pp. 155s).

Gálatas 5.26—6.18 (pp. 163–192)

Leer 5.26–6.5

► Pablo se ocupa ahora de algunas implicancias prácticas de 5.16–25. ¿Qué es lo que provoca a los cristianos a tratarse mal entre sí (pp. 164s)?

► 'Tenemos un cargador divino suficientemente adecuado, y es señal de debilidad buscar ayuda humana' (p.165). ¿Cómo puede usted responderle a alguien que llegó a esa conclusión al leer 6.2 (p. 165)?

►¿Cómo explica usted la aparente contradicción entre la indicación de ayudarnos 'unos a otros a llevar [las] cargas' (6.2) y que 'cada uno cargue con su propia responsabilidad' (6.5) (pp. 167s)?

▶ Gálatas 6.1 es un ejemplo de cómo llevar la carga de otro. ¿Qué pautas da Pablo allí (pp.168ss.)? ¿Cómo podemos aplicarlas en la actualidad?

Leer 6.6–10

▶ Las últimas instrucciones de Pablo están ligadas entre sí por el principio de que cosechamos según lo que sembramos. Analice de qué maneras 6.6 es relevante para usted (pp.175ss.).

▶ 'La santidad es una cosecha; que la recojamos o no depende casi enteramente de lo que sembramos y dónde lo sembramos' (p. 179). ¿Qué significa sembrar 'para agradar a [la] naturaleza pecaminosa'? ¿De qué forma podemos sembrar 'para agradar al Espíritu'?

▶¿Hay áreas en las que usted se sienta cansado de hacer el bien (6.9)? ¿Qué dice Pablo para alentarnos (pp. 180s)?

Leer 6.11–18

▶ Pablo se opone a aquellos que se concentran en las apariencias a expensas de lo que realmente importa: esto es, 'una nueva creación' (6.15). ¿Puede pensar en ejemplos modernos de este conflicto (pp. 186s)?

▶ Otro tema clave es 'si la esencia de la religión cristiana es humana o divina' (p. 186). ¿Qué motivación descubre Pablo allí (pp. 187s)? ¿De qué manera es esto relevante para usted?

Reseña (pp. 193–199)

Al repasar los estudios que realizó en esta epístola, ¿cuál es la principal lección que viene a su mente? ¿De qué manera se relaciona con la síntesis que hace el autor de este libro (pp. 193ss.).

Bibliografía

Arndt, W. F. y Gingrich, F. W. *A Greek-English Lexicon of the New Testament and Other Early Christian Literature* (Léxico griego-inglés del Nuevo Testamento y otra literatura cristiana primitiva), traducido y editado por W. F. Arndt y F. W. Gingrich, Cambridge University Press, 1957.

Brown, John *An Exposition of the Epistle to the Galatians,* 1833, The Sovereign Grace Book Club, 1957.

Cole, R. Alan *The Epistle of Paul to the Galatians,* Tyndale New Testament Commentaries, Tyndale Press, 1965.

Liddell, H. G. y Scott, R. *Greek-English Lexicon* (Léxico griego-inglés), compilado por H. G. Liddell y R. Scott. Nueva Edición por H. S. Jones, Oxford University Press, 1925-40.

Lutero, Martín *Commentary on the Epistle to the Galatians,* basado en sus conferencias en 1531, James Clarke, 1953.

Moulton, J. H. y Milligan, G. *The Vocabulary of the Greek New Testament,* Hodder and Stoughton, 1930.

Neill, Stephen C. *Paul to the Galatians,* World Christian Books, Lutterworth, 1958.

Notas

1. La autoridad y el evangelio del apóstol Pablo

[1] Cole, p. 31.

[2] Del capítulo titulado 'Psychological Objections' (Objeciones psicológicas), de H. A. Williams, en *Objections to Christian Belief* (Objeciones a la fe cristiana), Constable, 1963, pp. 55–56.

[3] The Espistole to the Romans (La Epístola a los Romanos), de C. H. Dodd, Moffatt New Testament Commentary (Comentario del Nuevo Testamento por Moffatt), Hodder, 1932, pp. XXXIV–XXXV.

[4] LXX, *peri hamartias*, por ej. Levítico 5.11 y Números 8.8. Vea también: Romanos 8.3 y 1 Pedro 3.18, donde la preposición vuelve a ser *peri*.

[5] Lutero, p. 47.

[6] Lightfoot, p. 73.

2. Falsos maestros y gálatas infieles

[1] Ver *metatithēmi* en Moulton y Milligan.

[2] Brown, p. 48.

[3] Cole, pp. 41, 59.

3. Los orígenes del evangelio de Pablo

[1] Brown, p. 58.

[2] Lightfoot, p. 87.

[3] Citado por Lightfoot, p. 90.

[4] Lutero, p. 87.

[5] *The Divine Propagandist*, Lord Beaverbrook, Heinemann, 1962, pp. 11–12.

4. Un solo evangelio

[1] Brown, p. 75.

[2] Lightfoot, p. 104.

[3] Lightfoot, p. 106.

[4] Lightfoot, p. 108.

[5] Lutero, pp. 108, 111, 112.

5. Pablo se enfrenta a Pedro en Antioquía

[1] Lightfoot, p. 112.

[2] Lightfoot, p. 113.

[3] Neill, p. 32.

[4] Lutero, p. 114.

6. Justificación solo por la fe

[1] Lutero, p. 101.

[2] Lutero, p. 95.

[3] Lutero, pp. 114, 121.

[4] Lutero, p. 426.

[5] Lutero, p. 143.

[6] Lutero, p. 26.

[7] Homilía titulada 'De la salvación de toda la humanidad', citada en en *Homilies and Canons*, S.P.C.K., 1914, pp. 25–26.

[8] Ver Deuteronomio 25.1; Proverbios 17.15; Romanos 8.33.

[9] Lutero, p. 101.

7. La insensatez de los gálatas

[1] Lutero, p. 122.

[2] *Ibid.*

[3] Brown, p. 111.

8. La alternativa entre la fe y las obras

[1] Cole, p. 95.
[2] *The Epistle of Paul to the Galatians* (La epístola de Pablo a los Gálatas) de A. W. Blunt, *The Clarendon Bible*, Oxford, 1925, pp. 96–97.
[3] Cole, p. 99.
[4] Neill, pp. 41–42.
[5] Lutero, p. 100.

9. Abraham, Moisés y Cristo

[1] Lutero, p. 291.
[2] Lutero, p. 302.
[3] Lightfoot, p. 144.
[4] Neill, p. 44.
[5] Lutero, p. 316.
[6] *Cartas y escritos desde la prisión*, Dietrich Bonhoeffer, (Fontana, 1959), p. 50 de la edición en inglés.

11. Una vez esclavos, ahora hijos

[1] Lighfoot, p. 166.
[2] 'La metáfora proviene del sistema legal grecorromano (pero no judío) donde un hombre rico sin hijos podía adoptar en su familia a un joven esclavo el que, gracias a un gran golpe de suerte, dejaba de ser esclavo y se convertía en hijo y heredero' (Hunter, p. 33).
[3] Ver, por ejemplo, Romanos 6.22; 1 Corintios 7.22–23; 2 Corintios 4.5.
[4] Nota al pie de página agregada a su diario más tarde a la entrada del 29 de febrero de 1738.

12. La relación entre Pablo y los gálatas

[1] Por ejemplo, Hechos 23.1–5; Gálatas 6.11.
[2] Lightfoot, p. 171.
[3] Cole, p. 128.
[4] Lightfoot, p. 179.

[5] Brown, p. 220.
[6] Citado por Brown, p. 226, nota 2.
[7] Brown, p. 228.

13. Isaac e Ismael

[1] Lightfoot, p. 184.

14. Religión falsa y religión verdadera

[1] Según Arndt-Gingrich, el verbo 'no se sometan' está en voz pasiva y significa 'sentirnos cargados con'.

15. La naturaleza de la libertad cristiana

[1] Neill, p. 60.
[2] Cole, p. 157.

16. La naturaleza pecaminosa y el Espíritu

[1] Lutero, p. 508.
[2] Cole, p. 161.
[3] Lightfoot, p. 210.
[4] Lightfoot, p. 211.
[5] Cole, p. 161, 163.
[6] Lightfoot, p. 209.
[7] Brown, p. 309.
[8] Romanos 8.5, 6; Colosenses 3.1, 2; Filipenses 4.8.

17. Relaciones cristianas recíprocas

[1] Filipenses 2.3: 'No hagan nada por egoísmo o vanidad; más bien, con humildad consideren a los demás como superiores a ustedes mismos'. No puede ser que este mandamiento sea considerar a todo el mundo, incluyendo los peores delincuentes, como moralmente 'mejores' (ya que la humildad no es ciega ni perversa), sino más bien a considerarlos como 'más importantes' y en consecuencia dignos de ser servidos.
[2] Lutero, p. 540.
[3] Lightfoot, p. 217.

[4] Lutero, p. 538.

[5] Lightfoot, p. 216.

[6] Lightfoot, p. 215.

18. Sembrar y cosechar

[1] Juan 8.44; Marcos 13.5, 6, 22.

[2] 2 Juan 1.7. Ver 1 Juan 2.18–27; 4.1–6.

[3] Efesios 5.6. Ver 1 Corintios 6.9;
2 Tesalonicenses 2.3.

[4] Lutero, p. 547.

[5] Lutero, p. 552.

[6] Neill, p. 71.

[7] Brown, p. 344.

19. La esencia de la religión cristiana

[1] Cole, p. 180.

[2] Lightfoot, p. 65.

[3] Cole, p. 181.

[4] Lightfoot, p. 224.

[5] Ver Números 6.24–26; Salmos 125.5
y 128.6.

[6] *Miracles, Yesterday and Today,*
de B. B. Warfield, Eerdmans, 1953,
pp. 84–92.

[7] Lightfoot, p. 225.

[8] Cole, p. 185.

20. Una reseña de la epístola

[1] Marcos 3.14; Lucas 6.13; Hechos
1.15–26; 26.12–18 (especialmente
el versículo 17: 'Te envío' *'egō
apostellō se'*); 1 Corintios 15.8–11;
Gálatas 1.1, 15–17.

[2] Juan 14.25, 26; 15.26; 16.12–15.

[3] Mateo 10.40, ver Juan 13.20.

[4] Lucas 10.16.

[5] Por ejemplo Romanos 8.9;
1 Corintios 6.19; Gálatas 3.2, 14; 4.6.

[6] 2 Corintios 3.18.

Editoriales de la Comunidad Internacional
de Estudiantes Evangélicos (CIEE) apoyan
esta publicación de Certeza Unida:

Certeza Argentina, Bernardo de Irigoyen 678, 5° "I" (C1072AAN)
Ciudad Autónoma de Buenos Aires, Argentina.
  certeza@certezaargentina.com.ar
Ediciones Puma, Av. Arnaldo Márquez 855, Jesús María,
  Lima, Perú. Teléfono / Fax 4232772. puma@cenip.org,
  puma@infonegocio.net.pe
Editorial Lámpara, Calle Almirante Grau N° 464, San Pedro,
  Casilla 8924, La Paz, Bolivia. coorlamp@entelnet.bo
Publicaciones Andamio, Alts Forns 68, Sótano 1, 08038,
Barcelona,
  España. editorial@publicacionesandamio.com
  www.publicacionesandamio.com

A la CIEE la componen los siguientes movimientos nacionales:
Asociación Bíblica Universitaria Argentina (ABUA)
Comunidad Cristiana Universitaria, Bolivia (CCU)
Aliança Bíblica Universitária do Brasil (ABUB)
Grupo Bíblico Universitario de Chile (GBUCH)
Unidad Cristiana Universitaria, Colombia (UCU)
Estudiantes Cristianos Unidos, Costa Rica (ECU)
Grupo de Estudiantes y Profesionales Evangélicos Koinonía, Cuba
Comunidad de Estudiantes Cristianos del Ecuador (CECE)
Movimiento Universitario Cristiano, El Salvador (MUC)
Grupo Evangélico Universitario, Guatemala (GEU)
Comunidad Cristiana Universitaria de Honduras (CCUH)
Compañerismo Estudiantil Asociación Civil, México (COMPA)
Comunidad de Estudiantes Cristianos de Nicaragua (CECNIC)
Comunidad de Estudiantes Cristianos, Panamá (CEC)
Grupo Bíblico Universitario del Paraguay (GBUP)
Asociación de Grupos Evangélicos Universitarios del Perú (AGEUP)
Asociación Bíblica Universitaria de Puerto Rico (ABU)
Asociación Dominicana de Estudiantes Evangélicos (ADEE)

Comunidad Bíblica Universitaria del Uruguay (CBUU)
Movimiento Universitario Evangélico Venezolano (MUEVE)

Oficina Regional de la CIEE: Camino del río 4553, Cortijo del río, Monterrey, Nuevo León , CP 64890 México.
cieeal@cieeal.org | secregional@cieeal.org | www.cieeal.org

El discípulo
radical

John Stott

**Un desafío a vivir el discipulado
genuino, que compromete todo el ser.**

CERTEZA
UNIDA

El mensaje de
Hechos

John Stott

**La historia de la Iglesia primitiva
y los temas fundamentales
para la Iglesia de hoy.**

El mensaje de
Romanos

John Stott

**La declaración más plena, más sencilla
y más grandiosa acerca del evangelio
en todo el Nuevo Testamento.**

CERTEZA
UNIDA

El mensaje de
Efesios

John Stott

**Presenta el propósito eterno de Dios
de crear a través de Jesucristo
una nueva humanidad.**

El Sermón del Monte

John Stott

Las normas y valores de Jesús para
la sociedad alternativa que Jesús
siempre se propuso que fuéramos.

CERTEZA
UNIDA

Printed in the USA
CPSIA information can be obtained
at www.ICGtesting.com
LVHW022026061023
760264LV00014B/904